아이디어와 생각 정리를 위한
다빈치 노트

1판 1쇄 발행 2016년 2월 29일
1판 2쇄 발행 2016년 3월 23일

지은이 최지은
기획·감수 김명철
펴낸이 김기옥

기획팀 모민원, 권오준, 정경미
프로젝트 디렉터 고래방
커뮤니케이션 플래너 박진모
경영지원 고광현, 김형식, 임민진, 김주현

디자인 ZINO DESIGN 이승욱
인쇄·제본 공간

펴낸곳 한스미디어(한즈미디어(주))
주소 04037 서울특별시 마포구 양화로 11길 13(서교동, 강원빌딩 5층)
전화 02-707-0337 | 팩스 02-707-0198 홈페이지 www.hansmedia.com
출판신고번호 제 313-2003-227호 | 신고일자 2003년 6월 25일

ISBN 978-89-5975-946-0 14320
      978-89-5975-948-4 14320(세트)

아이디어와 생각 정리를 위한

다빈치 노트

최지은 지음 | 김명철 기획·감수

한스미디어

콘텐츠 기획 일을 하다 보면 남달리 센스가 뛰어나고 순발력
이 좋은 사람들을 종종 만나곤 한다. 그들이 쏟아내는 희한하
리만치 독특하고 개성있는 아이디어를 듣고 있노라면 이 사
람이 좀 엉뚱하긴 한데 참 기발하고 똑똑한 인재라며 내심 감
탄할 때가 많다. 하지만 과연 그가 정말로 창조적인 사람인지
는 곰곰이 생각해볼 문제다.

창조적인 사람은 그저 기발한 생각을 떠올리는 데에 그치지
않는다. 순간적으로 번뜩인 아이디어를 흘려보내지 않고 제 것
으로 단단히 붙들어, 오랜 시간 그에 대해 고민하고 새로운 의

문을 던지며 자신만의 해결책을 찾는다. 그리고 마침내는 숙련된 솜씨를 발휘하여 누구도 쉽사리 부정하거나 반박하기 어려운 최종 결과물을 창출해낸다. 정말로 창조적인 사람은 아이디어로부터 결과를 이끌어낼 줄 안다. 만약 아이디어만 잔뜩 있고 결과물이 없다면 그는 창조적인 사람이라기보다는 그저 엉뚱하고 호기심 많으며 상상력이 풍부한 사람에 불과하다.

물론 호기심과 상상력은 창조성을 지탱하는 중요한 기본 재료이다. 하지만 철골과 시멘트, 벽돌이 있다고 해서 누구나 집을 지을 수 있는 것은 아니듯, 상상력과 호기심에 도취되어 그저 흥미롭고 재미있는 것을 생각하는 데에 머물게 된다면 그 값진 재료들은 그저 잡기雜技에 그치고 말 것이다.

창조적인 사람들은 삶의 방식에서 다른 사람들과 차이를 보인다. 그들은 끊임없이 주변 환경에 관심을 기울이고 변화를 민감하게 받아들이며 자신을 둘러싼 사물에 대해 의문을 품기를 그치지 않는다. 그렇게 해서 탄생한 낱낱의 아이디어는 저마다의 숙성 과정을 거쳐 결과물의 형태로 세상에 나와 주위에 영향력을 미친다.

그렇다면 창조적인 사람들은 보통 사람들에 비해 (아이디어의 질은 둘째 치고) 양적으로 더 많은 아이디어를 생산해내는 것일까? 이러한 질문에 대한 창조성 연구자들의 대답은 "그렇지 않다"이다. 창조성을 연구하는 학자들에 따르면 새로운 아이디어를 떠올릴 수 있는 잠재력은 누구에게나 내재해 있다. 다만 이렇게 샘솟은 아이디어는 대개의 경우 금방 사라지게 마련인데, 창조적인 사람들은 자신의 아이디어를 장기적으로 보존하면서 다른 지식이나 아이디어와 결합시키는 능력이 뛰어나다는 것이다.

창조적인 작업은 가장 어려운 인간 활동 가운데 하나이다. 기존에 없던 것을 만들어내거나 기존에 있던 것을 새롭게 다듬는 작업은 보통 사람들이 짐작하는 것 이상으로 고된 과정을 필요로 한다. 게다가 창조적 업적은 결과물이 나온 후에야 비로소 평가가 이루어지기 때문에, 기나긴 작업의 끝에 기다리고 있는 것이 무엇일지는 창작자 본인밖에 알지 못하며 때로는 그 자신조차도 막연한 예상만으로 작업에 임하는 경우가 부지기수이다. 즉 어떤 보상이나 장밋빛 미래가 보장되지 않는 경우가 허다하다.

그럼에도 불구하고 창조적인 사람들이 수년에서 수십 년에 걸쳐 독자적인 노력을 기울인 끝에 스스로 목표한 성취를 이루는.것은 자신이 하는 작업에 즐거움을 느끼고 몰입하기 때문이다. 심리학자 칙센트미하이와 키스 소여 등은 창조적인 사람들이 탁월한 업적을 이루기까지 뛰어난 지적 능력이나 예술적 재능 못지않게 그들의 마음가짐이 중요하게 작용했다는 것을 강조한다. 창조적인 사람들은 자신의 아이디어가 지닌 가치를 스스로 인정하기 때문에 주위의 평가에 구애받지 않으며, 어떤 종류의 현실적 곤경에 처한다 하더라도 작업에 몰두하는 동안에는 거의 의식하지 못한다. 물아일체의 상태에 빠져들어 시간 감각까지 상실하는 몰입을 통해 물리적으로 결코 짧지 않을 시간을 견뎌내는 것이다.

나는 오랫동안 작가, 과학자, 화가, 영화감독, 드라마 PD 등 창조적인 작업을 하는 사람들과 함께 일해오며 창조성의 원천에 대해 강한 호기심을 품어왔다. 그러던 중 미국의 미스터리 작가 스티븐 킹이 쓴 『유혹하는 글쓰기』를 읽고, 작가가 자신의 능력을 최대한 발휘하려면 글을 쓰는 데 필요한 연장을 골고루 갖춰놓은 연장통을 준비하고 늘 그것을 들고 다닐 수 있도록 팔 힘을 길러야 한다는 그의 말에 깊은 감명을 받았다. 비단 작가뿐만 아니라 어떤 분야에서든 성공한 사람들에게는 자신만의 연장통이 있다. 그렇다면 내가 지켜봐온 창조적인 사람들의 연장통에는 무엇이 들어 있었을까?

그것은 다름 아닌 노트였다. 스마트폰으로 대부분의 일상 업무를 처리할 수 있게 된 지금도 그들 모두는 오래 사용해서 낡고 손때 묻은 노트와 펜을 늘 지니고 다닌다. 노트에 관해서라면 나 역시 오랫동안 남다른 애착을 가져온 터이다. 몇 년 전부터는 나만의 노트 쓰는 법을 고안해 직접 노트를 만들어 사용하고 있으니, 고수는 못 돼도 덕후 수준에는 이른 어엿한 노트광이라고 할 수 있을 것이다.

창조적인 사람들과 노트의 상관관계에 관심을 갖기 시작할 무렵 나는 예술가, 과학자, 작가의 창조성에 대해 연구 중이던 심리학자 김명철 박사와 함께 어떤 프로젝트를 진행하게 되었다. 집단 창작으로 드라마를 기획하며 창작 프로세스를 만드는 작업이었는데, 이를 통해 나는 브레인라이팅 기법을 접하게 되었다. 어떤 방식으로 쓰느냐에 따라 아이디어의 산출량을 늘릴 수도 있고, 좋은 아이디어를 골라내거나 합쳐 발전시킬 수도 있다. 나는 이를 노트에 적용해보기로 했다.

몇 년간 김명철 박사와 함께 창조적 사고와 노트의 상관성에 대한 다양한 연구를 분석하면서 단순하면서도 효과적인 노트법을 개발하고자 노력했다. 나는 노트법이란 곧 노트를 통해 창조적 생산성을 높일 수 있도록 사고를 훈련하는 것임을 깨달았다. 수작업으로 만든 노트를 사용하면서 기대 이상의 정서적, 동기적 만족감을 느낄 수 있다는 사실 또한 알게 되었다.

펼쳐진 노트에 꽉 채워진 글자들은 저마다 의미 있는 정보와 생각, 감정을 갖고 있었고 원래 자리 잡은 지면을 떠나 다른 페이지에서 뭉치고 쪼개지면서 새로운 아이디어를 낳았다. 공부를 하고, 회의를 하고, 분석과 구상을 하는 시간들이 고스란히 노트에 담겨 나의 사적인 역사를 만들어나갔다. 즐겁고도 뜻깊은 순간들이 노트 위에 펼쳐지고 있었다.

나는 그렇게 만든 노트를 더 많은 사람들과 공유하고 싶었다. 이런 나의 바람에 선뜻 신뢰를 보내준 한스미디어 김기옥 대표 이하 함께 작업해준 직원들, 언제나 든든한 파트너 이승욱 디자이너, 손형석 대표, 그리고 이 책을 처음 기획하던 무렵부터 줄곧 함께 고민해준 김명철 박사와 양은영 편집자에게 깊은 감사를 전하고 싶다.

2016년 2월 최지은

차례

chapter4. 노트 응용하기

chapter5. 창조적인 사람들을 위한 다빈치 노트

1부

박물관에서 만난 노트

다빈치의 노트

○

시대를 앞서간 남자

○

1994년 빌 게이츠는 레오나르도 다빈치의 노트 「코덱스 해머」에 고서적 분야 역대 최고 경매가를 경신하는 금액을 입찰했다. 36장짜리 필사본 노트를 구입하기 위해 그가 지불한 금액은 무려 3100만 달러. 오늘날 우리 돈으로 340억 원을 훌쩍 넘기는 액수였다.

마이크로소프트 사의 창업자로 잘 알려진 빌 게이츠는 현대 디지털 혁명의 초석을 놓은 인물로서, 노트로 대변할 수 있는 아날로그 시대를 종식하고 디지털 시대를 열어젖힌 장본인의 한 사람이다. 그런 그가 16세기에 쓰인 낡은 자필 노트를 거금을 들여 구입한 것은 무엇 때문일까?

　레오나르도 다빈치는 인류 역사상 가장 빛나는 예술가의
한 사람이다. 서자로 태어난 그는 어린 시절 학교에 다니지
못했고 열네 살이 되어서야 화가 밑에서 도제 수업을 받기 시
작했다. 훗날 유럽의 르네상스를 주도하고 〈최후의 만찬〉이
나 〈모나리자〉 같은 세기의 명작을 그린 다빈치이지만 단지 위
대한 화가로만 한정 짓기에 그가 남긴 유산은 너무도 방대하
다. 다빈치는 특히 자신의 연구 내용과 관련 스케치를 노트에
기록해 남긴 것으로 유명한데, 그의 노트 가운데 현재까지 남
아 있는 것만 7000쪽에 달하며 실제로 쓴 분량은 1만 5000쪽
이 넘는 것으로 추정된다.

　다빈치는 스푸마토라는 원근법을 창안했고 수학, 천문학,
식물학 등을 폭넓게 연구했으며 전쟁에 사용할 도구나 기계
를 고안하기도 했다. 그는 군사 기술자이자 발명가였으며 예
술에 관한 이론가이자 인생을 고찰한 철학자였고 인체의 구
조를 정밀하게 분석한 해부학자였다. 무대예술에서 회화, 건
축에 이르기까지 예술가로서 선보인 빼어난 실력 외에도 그

빌 게이츠가 구입한 「코덱스 해머」의 일부. 「코덱스 해머」에는 레오나르도 다빈치가 그린 사물의 스케치와 도구의 활용법, 우주와 자연을 관찰한 기록 등이 수록되어 있다. 노트를 쓸 때 다빈치는 글자를 거울에 비춰야 똑바로 보이도록 거꾸로 필기했다.

가 남긴 업적은 분야를 막론하고 무궁무진하다.

　다양한 분야에 걸쳐 뛰어난 재능을 보이는 사람을 가리켜 '다빈치적 인간'이라고 부르곤 한다. 백과사전의 다빈치 항목을 펼쳐놓고 그가 남긴 업적의 기나긴 목록을 들여다보고 있노라면 자연히 이런 의문이 든다. 과연 어떻게 한 사람이 이토록 많은 작업을 할 수 있었을까? 그것도 이렇듯 다양한 분야에 걸쳐서?

　사람들은 누구나 살아가면서 여러 방면에서 크고 작은 아이디어를 만들어낸다. 하지만 우리의 뇌는 생존에 유리한 정보를 우선적으로 처리하는 데 최적화되어 있기 때문에 아무리 기발하고 놀라운 아이디어라고 해도 생존과 직접 연관되어 있지 않다면 빠른 시간 내에 기억에서 소거해버린다. 이는 다빈치의 뇌라고 해서 다를 것이 없다.

　하지만 다빈치는 생존과 직결되지 않는 아이디어들을 기록하고 그것을 창조적인 결과물로 만들기 위해 노트를 적극 활용했다. 그는 늘 노트를 갖고 다니면서 일상생활 중에 떠오른 궁금증이나 자신이 관찰한 내용을 스케치와 메모 형태로 기록했다. 그의 노트에 적힌 아이디어들은 사라지지 않고 보존

되었고 또 그렇게 보존된 다른 분야의 지식이나 아이디어와 결합되어 새로운 아이디어를 낳았다.

『레오나르도 다빈치처럼 생각하기』의 저자 마이클 겔브는 다빈치가 남긴 노트와 작품을 분석하여 다빈치의 창조성을 구성하는 요소를 다음과 같이 분류했다. 삶에 대한 관심에서 비롯된 호기심, 경험과 실수를 통해 알고 있는 지식을 검증하려는 실험 정신, 시각을 비롯한 감각의 지속적인 단련, 낯선 것을 두려워하지 않고 잘 모르거나 불확실한 것들을 포용하려는 의지, 과학과 예술 어느 쪽으로도 치우치지 않은 균형 잡힌 사고, 육체와 정신의 건강과 신체적 숙련, 사물과 현상 사이의 연관성을 찾는 시스템적 사고.

겔브는 이러한 창조성 요소가 모든 인간에게 잠재되어 있다고 보았다. 특히 다빈치의 경우 몇 가지 방법론을 통해 자신의 창조성을 극대화했다는 사실에 착안하여 누구나 훈련을 통해 잠재적인 창조성을 끌어낼 수 있다고 했다.

『레오나르도 다빈치처럼 생각하기』의 창조성 계발 훈련

- 꾸준히 메모하기

- 한 가지 주제에 대해 백 가지 질문 적어보기

- 질문을 받고 연상한 것을 노트에 적어보기

- 이상적인 취미 적어보기

- 자기만의 단어장 만들기

- 인생에서 가장 중요한 경험 적어보기

- 오감을 훈련하기

- 육감과 직관 훈련하기

- 마인드맵 그리기

- 자신의 몸과 자세를 분석하기

- 상상한 것을 그리기

- 드로잉 연습

경험과 지식을 중시했던 다빈치는 "아는 것이 적으면 사랑하는 것도 적다"라고 했다. 그는 자신의 머릿속을 맴도는 질문을 노트에 적어놓았다.

"바다에 있어야 할 산호, 해초, 조개껍데기가 어째서 산꼭대기에서 발견되는 것일까?"

"번개가 치고 나면 천둥이 잇따르는 이유는 무엇일까?"

"새는 어떻게 공중에 떠 있을 수 있을까?"

"내가 이해하지 못하는 현상들에 대한 질문이 평생 동안 머릿속에 자리 잡고 있다."

그는 자신을 둘러싼 환경과 자연이 품고 있는 이치와 아름다움의 본질에 대한 앎에 목말라했다. 이러한 다빈치의 호기심은 과학과 공학에 대한 탐구심으로 끓어올랐다.

미술 작업을 할 때 다빈치는 수천 명의 얼굴과 인체 해부도를 노트에 그리고 비교해가며 인체의 궁극적인 비례가 드러내는 아름다움을 연구했다. 그리고 그 결과 수백 번을 봐도 신비로움이 사라지지 않는 미소를 띤 〈모나리자〉를 완성했다. 또한 그는 자신의 노트에 쓴 「회화론」을 통해 그림에 공기의 움직임과 소리까지 담고자 연구한 내용을 상세히 밝히기도 했다. 다빈치는 예술적으로 가장 완전한 회화는 빛, 색채, 비례, 원근, 움직임을 명확히 결정하여 표현하는 것이며 이를 위해서는 과학적 지식과 수학적 사고가 필요하다고 여겼다.

자연과 사물의 이치, 아름다움의 본질을 추구했던 다빈치의 신념은 과학적 연구로 이어졌다. 그는 태양을 관찰한 후 태양이 제자리에서 움직이지 않는다는 결론을 내렸고, 따라서 태양은 지구 주변을 도는 게 아니며 지구는 우주의 중심이 아니라고 생각했다. 이는 코페르니쿠스나 뉴턴보다 몇백 년 앞선 과학적 통찰이었다.

또한 다빈치는 일상생활 속에서 발견한 불편함을 해소하거나 인간의 한계를 극복하려는 목적으로 기발한 기계 장치들을 고안했다. 그중에서도 특히 인간의 신체적 한계를 뛰어넘어 날아다닐 수 있도록 해주는 기계를 만드는 데 각고의 노력을 기울였다. 그는 새와 곤충, 박쥐의 날개를 관찰하고 연이 하늘을 나는 원리를 분석해 공기가 물처럼 압력을 가한다는 것을 깨달았다. 이처럼 자연에서 발견한 원리를 응용해 인간이 자유롭게 하늘을 날 수 있도록 보조하는 기계 장치들을 궁리하는 과정에서 경사계 및 풍력계, 글라이더를 설계하기도 했다.

이 밖에도 화재 진압 시 사용할 수 있는 접이식 사다리, 물속에 있는 잠수부가 공기를 들이마실 수 있게끔 하는 수중 장치, 자동화 악기 등 수많은 장치들을 설계하였으나 안타깝게도 당대의 기술로는 제작할 수 없는 것들이 대부분이었고, 상당수는 그로부터 몇백 년이 흐른 서유럽 산업혁명기 이후에나 상용화되었다(피렌체와 제주도에 있는 다빈치 박물관에는 다빈치가 남긴 설계도에 따라 현대적 기술로 재현한 모형들이 전시되어 있다).

○

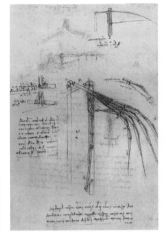

오르니돕터의 날개(왼쪽)와 공중나사(오른쪽). 오르니돕터의 날개는 새의 날개가 움직이는 원리를 적용한 비행 기계로, 인간이 직접 장착하고 날 수 있도록 만든 것이다. 공중나사는 프로펠러를 활용해 주변 공기를 압축하여 날도록 설계한 비행 장치인데 최초의 헬리콥터 설계도라고 평가받는다.

비록 당대 기술력의 뒷받침을 받지는 못했지만, 그의 창조성이 빛을 발할 수 있었던 것은 시대를 잘 타고난 덕분이기도 했다. 16세기 서유럽 사회는 천 년 동안 지속되어온 교회의 암막을 막 걷어내려 하고 있었다. 신이 아닌 인간의 능력으로 재탄생한 르네상스는 인쇄기와 종이, 시계 등 새로운 문물이 넘쳐나며 문화적 대폭발이 일어난 시기였다. 다빈치의 탁월한 능력을 써먹을 곳은 얼마든지 있었기 때문에 그는 많은 작업에 참여할 수 있었다. 그의 본업은 그림을 그리거나 조각품을 만드는 것이었으나 무대 디자이너, 음악가, 지도 제작자, 무기 엔지니어, 건축가로서 역량을 발휘할 기회 또한 주어졌다. 생애의 마지막 무렵에는 프랑스 왕의 막대한 지원 속에서 위대한 천재로 대우받기도 했다. 덕분에 〈모나리자〉와 〈최후의 만찬〉 같은 역작들과 더불어 그가 남긴 위대한 노트들은 수백 년이 지난 오늘날까지 온전히 전해질 수 있었다.

○

다빈치의 노트법

○

다빈치는 늘 호기심에 가득 찬 눈으로 자신을 둘러싼 세계를 관찰했고, 끊임없이 머릿속에서 아이디어를 떠올렸다. 그의 아이디어 대부분은 아주 구체적이고 방대한 정보들이 조합되어 만들어진 것이었다. 그렇기 때문에 다빈치에게 있어서 아이디어를 보존하고 조직하는 첫 번째 단계는 수많은 정보와 자신의 생각을 구분하는 것이었다. 당시에는 녹음기나 사진기 같은 장비가 없었으니 노트에 적고 그리는 것이 유일한 수단이었다. 그가 썼을 것으로 추정되는 1만 5000페이지라는 분량은 매일 한 페이지씩 써도 40년이 넘게 걸리는 양이다. 거의 매 페이지마다 빠짐없이 그려놓은 정교한 스케치와 빼곡히 채워진 글자들을 떠올려보면, 그 누구도 다빈치의 노트가 창조적 작업을 위한 핵심 연장이었음을 부정할 수 없을 것이다.

그렇다면 과연 그는 어떤 방식으로 노트를 썼을까?

다빈치가 노트를 사용한 방식에는 몇 가지 패턴이 있다. 그는 주제나 용도에 따라 노트를 구분해서 사용하지 않았다. 다양한 관심사를 한 권의 노트에 순서 없이 기록했다. 노트의 상당 부분은 펼침면을 기준으로 하나의 개념을 형상화하는 구성을 따랐는데, 개념 하나를 담은 페이지에는 나중에 이어서 작업할 수 있도록 과감하게 여백을 남겨놓았다. 그는 핵심 아이디어나 대상을 스케치한 후, 대상에 대한 객관적 정보와 자신이 관찰한 정보를 꼼꼼하게 적었다. 필요에 따라서는 새로운 각도에서 대상을 바라보거나 변형한 형태의 스케치를 덧붙이면서 자신의 생각을 발전시켰다. 그의 노트는 스케치만큼이나 메모가 차지하는 비중이 높은데, 시각화에 능한 다빈치였지만 자신의 생각을 글자로 기록하는 데에도 많은 노력을 기울였던 것으로 보인다.

다빈치의 노트를 보면 새로이 알게 된 개념과 기존에 알고 있던 개념을 연관시켜 결합하는 방식이 잘 드러나 있다. 그는 자유롭게 연상한 이미지들을 나열하면서 아이디어를 발전시켜나갔고, 그 과정에서 직접적 관련이 없는 다른 분야로부터 정보를 탐색하고 연결점을 찾는 데 골몰했으며 반대로 동일한 대상에서 다른 관점의 주제를 찾아내기도 했다. 여러 이미지들이 서로 다른 아이디어 옆에 되풀이해 그려져 있는 것이 노트 곳곳에서 눈에 띄며, 두 개의 아이디어를 조합해 새로운 아이디어로 발전시키는 경우도 종종 있었다. 이처럼 통찰과 검증을 통해 아이디어를 발전시켜나간 대표적인 사례가 바로 비행을 주제로 그린 연작 스케치이다.

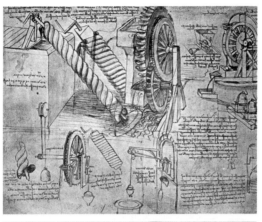

다빈치가 고안한 각종 기계 장치와 전쟁 무기들. 여러 개의 장치를 한 페이지에 모아 그리고 설명을 덧붙여 오늘날의 프레젠테이션과 비슷한 용도로 활용했던 것으로 추정된다.

다빈치의 노트 중에는 완성된 장치나 도구를 한 장에 모아 그려놓은 페이지가 몇 있다. 이에 대해 연구자들은 그가 구상한 특정 장치들과 연관된 스케치들을 한데 모아 투자자들 앞에서 일종의 프레젠테이션을 했던 것으로 추정한다.

다빈치가 고안해낸 독창적인 장치들은 실제로 제작하려면 엄청난 비용과 시간을 필요로 했을 것이다. 게다가 그의 아이디어는 시대를 앞서간 것이 대부분이었기에, 막상 투자를 받기 위해서는 이것이 실제로 어떻게 움직이고 어떻게 제작 가능한지를 설명할 수 있어야 했다. 마치 3차원 공간에서 보는 것처럼 다양한 각도에서 장치가 작동하는 원리를 보여주려는 노력들은 다빈치의 노트에서 어렵지 않게 찾아볼 수 있다.

○

꿈의 기록

○

노트에 아로새겨진 다빈치의 인생 궤적을 따라가다 보니 빌 게이츠가 거액을 들여 다빈치의 노트를 사들인 이유를 조금쯤 짐작할 듯도 싶다. 그가 소장하고 있는 「코덱스 해머」에는 화려한 스케치가 거의 수록되어 있지 않다. 마치 과학자의 연구 노트처럼 지구와 달, 공기와 물, 운동에 관한 내용이 주를 이룬다. 어쩌면 빌 게이츠는 예술 작품이라기보나 연구시에 가까운 「코덱스 해머」를 보고 무명 시절 새로운 세상을 꿈꾸던 자신을 떠올렸을지도 모른다.

프로그래머 출신인 빌 게이츠는 언젠가 모든 사람이 자신이 만든 프로그램이 설치된 개인 컴퓨터를 사용하는 꿈을 이루기 위해 컴퓨터 앞에서 많은 시간을 보냈으리라. 젊은 시절 그가 내다본 미래의 모습은 정보를 중심으로 움직이는 세계였고, 그는 다가올 미래에 걸맞은 새로운 시스템이 필요하다는 것을 확신했다.

다빈치 또한 마찬가지였다. 아직 과학혁명의 불꽃이 피어오르기 전 그가 내다본 미래는 신이 만든 시스템으로 움직이는 세계가 아니었다. 그는 현실 세계를 움직이는 자연의 원리를 찾아 헤매던 몽상가였다. 짐작컨대 빌 게이츠는 그 낡은 노트에서 다빈치가 적어 내려간 이상과 꿈의 기록을 읽어냈을 것이다. 그 누구보다도 꿈의 가치를 잘 알고 있는 사람이었으니까.

○

생각을 붙잡다

○

캘리포니아 주립대학에서 조사한 바에 의하면 사람이 평균적으로 하루에 접하는 단어의 수가 10만 개 이상이라고 한다. 잠잘 때를 제외하고 시간당 약 6000개의 단어를 접한다는 것인데, 실로 엄청난 정보량이다. 하지만 우리의 뇌가 수용할 수 있는 정보의 총량은 한정되어 있다. 쏟아져 들여오는 정보의 홍수 속에서 당신의 아이디어가 부지불식간에 소멸되는 것을 두고 보기만 할 셈인가? 기록은 기억보다 강력하다. 쓰는 행동을 통해 우리는 정보를 거르고 생각을 정리한다. 그로 인해 아이디어는 구체화되고 기억된다. 위대한 천재라고 평가받는 다빈치조차도 자신의 생각을 붙잡기 위해 노트를 사용했다.

시작은 어렵지 않다. 극히 단순하다. 그저 노트를 펼치고 그때그때 떠오른 생각과 아이디어, 이미지를 끄적이는 것이다. 다빈치의 노트에서 영감을 지나치게 받은 나머지 예술과 과학을 넘나드는 연구와 실험, 회화와 건축을 아우르는 예술적인. 스케치로 노트를 채워가겠다고 의지를 불태우는 것은 개인의 자유지만, 글씨도 못쓰고 그림 솜씨도 부족한 데다 상상력도 변변찮다고 미리부터 좌절하는 것은 금물이다. 어차피 다빈치가 떠올렸던 아이디어들은 지금 세상에서는 다 옛것이다. 이 순간 중요한 것은 당신의 뇌리를 스쳐간 호기심과 아이디어를 붙잡아놓는 일, 그뿐이다.

뉴턴의 노트

○

우주를 설명하다

○

'세상을 바꾼 사과' 하면 무엇이 제일 먼저 떠오르는가? 누구는 스티브 잡스의 사과를 떠올릴 테고, 누구는 인간을 에덴동산에서 쫓겨나게 만든 금기의 사과를 떠올리고, 또 누구는 만유인력의 법칙으로 떨어진 사과를 떠올릴 것이다.

만유인력의 법칙이 구체적으로 어떤 내용인지 모르는 사람은 있을지언정, 뉴턴이 떨어지는 사과를 보고 만유인력의 법칙을 발견했다는 이야기를 모르는 사람은 드물다. 실제로 뉴턴은 젊은 시절 고향 울즈소프에서 달의 궤도 운동에 대해 고민하던 무렵 땅바닥에 떨어진 사과를 보고 그 원리를 떠올렸다고 훗날 언급하기도 했다.

사실 뉴턴의 사과에 얽힌 일화가 세상에 널리 알려지게 된 것은 뉴턴이 죽고 거의 백여 년이 흐른 뒤의 일이다. 그러나 이 이야기는 대중의 머릿속에 만유인력의 개념을 심어주면서 삽시간에 퍼져나가 어느 순간 날개를 달고 신화가 되었다.

뉴턴이 바닥에 떨어진 사과를 보았던 것이 막 나뭇가지에서 사과가 떨어지는 순간을 목격한 이야기로 바뀌었고, 또 하필 그 사과가 뉴턴의 머리 위로 떨어졌다는 기막힌 우연이 첨가됨에 따라, 사람들은 사과 한 알에서 대자연을 지배하는 법칙을 발견한 천재의 결정적 한순간에 매료되었다. 게다가 노년의 뉴턴이 수은 중독의 영향으로 추정되는 일종의 광기 증상을 보였다는 사실이 더해지면서 오늘날 우리에게도 익숙한 괴짜 과학자의 이미지가 완성되었다. 그리하여 천재는 1퍼센트의 영감만으로 유레카를 외칠 수 있는 특별한 능력자라는 신화가 탄생했고, 사과가 빚어낸 거대한 그림자는 뉴턴이 일구어낸 다른 수많은 업적들을 가려버렸다.

이제 우리는 탐스러운 사과의 그림자를 걷어내고 뉴턴이 이룩한 창조적 업적들과 무엇이 그러한 업적을 가능하게 했는지를 살펴볼 것이다.

창조성을 연구하는 인지심리학자들은 두 가지 이상의 사물이나 지식, 이론 등을 접목해 연결하거나 그들 간의 차이점 및 모순을 찾아내어 이를 해결하는 능력인 '연합'이야말로 창조성을 결정짓는 가장 중요한 요소라고 생각해왔다. 인터넷과 휴대폰이 합쳐져 스마트폰이 되고, 무언극, 사물놀이, 요리를 결합시켜 〈난타〉라는 퍼포먼스를 만들어낸 것이 연합의 대표적인 사례라 할 수 있다.

뉴턴이 어떤 연구에 착수해서 결과를 내기까지의 과정은 이러한 연합 개념을 잘 보여준다. 그는 서로 다른 현상이나 이론 간의 모순이나 연관성을 찾아낸 후 생각의 전환을 통해 이를 해명하는 결정적 실험을 설계하고 자신의 이론을 증명하는 방식으로 결과물을 냈고, 특히 이론과 실험 결과 사이에 나타난 간극을 논리적으로 해결하는 데 있어서 탁월한 능력을 발휘함으로써 18세기 유럽에서 일어난 과학혁명을 상징하는 인물이 되었다.

『과학혁명의 구조』에서 토마스 쿤은 과학자가 어떤 문제를 발견하고 이를 해결하는 자신만의 해법을 과학적이고 논리적인 방식으로 증명해내면, 기존의 과학 패러다임이 깨지고 새로운 패러다임으로 교체되는 '과학혁명'이 발생한다고 말했다. 운동 3법칙과 만유인력의 법칙을 통해 뉴턴은 전근대 과학이 세운 패러다임으로는 풀지 못했던 수수께끼를 해결하고 근대 물리학을 정립했다. 뉴턴 이전의 우주는 신들의 영역이었고, 하늘에 떠 있는 천체의 움직임과 지상에 있는 물체의 운동이 같은 물리법칙에 근거해 일어난다고 생각하는 사람은 아무도 없었다. 그렇게 쪼개져 있던 세계가 뉴턴의 법칙으로 통합되면서 천문학의 역사는 새로 쓰였다.

뉴턴 역시 만유인력을 깨닫기 전까지 힘이란 어떤 물체에 가해지는 하나의 작용이라고 여겼다. 그러던 어느 날 그는 나무에서 떨어진 사과를 보고 깊은 생각에 잠겼다. 사과는 왜 지면에 떨어지는가? 사과는 지구에 출현한 이래 지금까지 단 한 차례의 예외 없이 모두 지면으로 떨어져 내렸다. 대부분 사람들에게는 그저 자연현상의 하나에 지나지 않았던 일이 뉴턴의 관심을 끌었던 것이다. 그는 이 현상을 지구 주위를 돌고 있는 달과 연관 지었다. 만약 어떤 힘에 의해 사과가 지면으로 떨어지는 것이라면 달도 지구로 떨어져야 하지 않을까? 사과를 지면으로 잡아당기는 힘은 달 역시 잡아당기고 있을 테니까 말이다. 이처럼 단순한 의문에서 비롯된 뉴턴의 연구는 기나긴 성찰과 실험을 거쳐 마침내 사과와 지구, 달과 지구 사이에 힘이 작용하듯 태양과 지구 사이에도 서로 끌어 당기는 힘이 작용한다는 결론에 이르렀다. 바로 만유인력의 법칙이다.

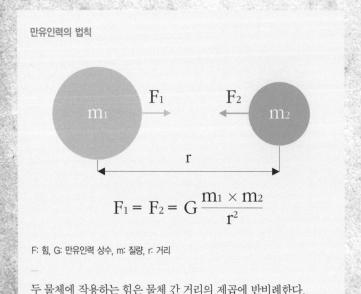

만유인력의 법칙

$$F_1 = F_2 = G \frac{m_1 \times m_2}{r^2}$$

F: 힘, G: 만유인력 상수, m: 질량, r: 거리

두 물체에 작용하는 힘은 물체 간 거리의 제곱에 반비례한다.

만유인력의 법칙은 힘에 대한 기존의 개념을 완전히 바꿔놓 았다. 지구에 있건 우주에 있건 상관없이 질량을 가진 두 물체 사이에는 서로 끌어당기는 힘(인력)이 작용한다. 즉 힘은 상호

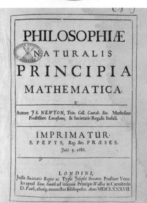

뉴턴이 만유인력의 법칙을 처음 떠올린 것은 1666년의 일이다. 그리고 20년이 지나 뉴턴은 운동 3법칙과 만유인력의 법칙을 정리한 『프린키피아』를 세상에 내놓았다.

작용한다는 것이다. 두 물체 사이에 존재하는 인력 때문에 한 물체가 움직이면 다른 물체 역시 움직여야 한다. 지구가 움직이면 지구의 인력에 묶여 지구 주위를 돌고 있는 달도 함께 움직이고, 태양을 중심으로 돌고 있는 태양계의 행성들 역시 서로 끌어당기는 힘에 의해 함께 움직인다.

뉴턴이 정리한 만유인력의 법칙은 대기권을 뛰어넘고 태양계를 초월하여 우주 전역에 존재하는 만물의 운동을 설명하는 법칙으로 자리매김했고, 미지의 영역에 다름 아니던 우주는 이제 인간의 사고로 이해할 수 있는 논리적 공간이 되었다. 오늘날에도 밤하늘을 가로지르는 수많은 별들은 뉴턴의 노트에 적힌 간단한 공식에 맞춰 군무를 추고 있다.

사과의 운동에서 달의 운동을 떠올리고 이 둘을 통합해 설명할 수 있는 하나의 법칙을 찾아낸 뉴턴의 '연합'은 창의적인 업적을 창출하는 가장 혁신적인 방법의 하나이다. 이 과정에서 크게 기여한 수단이 바로 뉴턴의 노트인데, 뉴턴의 혁신적인 창조성은 그가 남긴 노트를 통해 잘 드러난다.

뉴턴의 세 가지 노트

뉴턴은 유년 시절부터 머릿속에 떠오른 생각을 노트에 적는 습관이 있었고, 나이가 들수록 메모에 광적으로 집착했다. 그의 조카가 남긴 뉴턴의 전기에는 뉴턴이 손님들과 대화를 나누다가 갑자기 방으로 올라가서는 몇 시간이 지나도 내려오지 않아 부르러 가보니 의자에 앉지도 않은 채 뭔가를 쓰고 있었다는 일화가 실려 있다.

뉴턴은 때때로 끼니를 챙기는 것도 잊을 정도로 노트 필기에 몰입하곤 했다. 그는 자신의 노트를 가리켜 '생각의 샘'이라 칭하며 자랑스러워했고 죽기 직전에는 노트를 유산 상속 대상물로 지정할 정도로 소중히 여겼다. 오늘날 케임브리지 대학 도서관에는 400년 전에 쓰인 뉴턴의 노트들이 보관되어 있으며 이는 인류의 위대한 지적 성취로 평가받는다.

평소 뉴턴은 용도에 따라 각기 다른 노트를 사용했다. 책을 읽으며 알게 된 정보와 잘 이해되지 않거나 모순된다고 느낀 내용을 적는 〈독서 노트〉, 문제를 분석하고 새로운 가설을 세워 이를 증명하는 실험을 고안하는 〈실험 설계 노트〉, 자신만의 해법을 구체적으로 풀어 쓴 〈연구 노트〉의 세 종류이다. 뉴턴이 남긴 노트에는 그의 빛나는 창조성을 엿볼 수 있는 결정적인 장면들이 고스란히 담겨 있다.

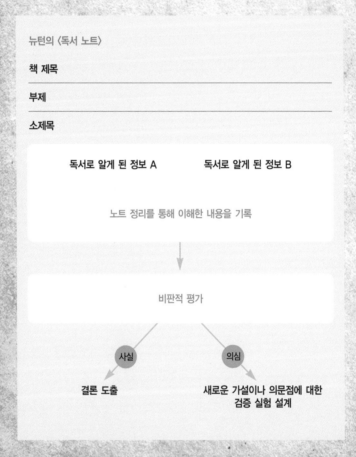

뉴턴의 〈독서 노트〉

책 제목

부제

소제목

독서로 알게 된 정보 A　　　　**독서로 알게 된 정보 B**

노트 정리를 통해 이해한 내용을 기록

비판적 평가

사실

의심

결론 도출　　　　**새로운 가설이나 의문점에 대한 검증 실험 설계**

밀물과 썰물

데카르트 지구를 둘러싸고 있는 눈에 보이지 않는 입자의 소용돌이가 밀물과 썰물의 원인이다.

보일 소용돌이의 압력이 원인이라면 기압계로 검출할 수 있다.

의심

새로운 가설이나 의문점에 대한 검증 실험 설계

- 태양의 압력이 원인이라면 낮과 밤의 해수면 높이를 비교해볼 것
- 소용돌이의 압력이 원인이라면 아침에는 해수면이 높고 밤에는 낮아질 것

맨 처음 뉴턴이라는 이름이 사람들의 입에 오르내리게 된 것은 그가 발명한 망원경 때문이었다. 1608년 네덜란드의 안경 제작자 한스 리퍼세이는 사람들의 시력을 보정해주는 렌

즈를 개발하던 중 망원경을 발명하였다. 이 새롭고 신기한 발명품에 대한 소식은 이탈리아에 있던 갈릴레이에게 전해졌다. 갈릴레이는 망원경의 원리를 응용해 최초의 천체망원경을 만들었고, 수많은 별들이 모여 있는 은하수와 목성의 위성들을 관측했다.

그러나 갈릴레이의 망원경에는 커다란 단점이 있었다. 그가 만든 망원경은 굴절된 빛을 한 점에 모아 상이 맺히도록 하는 방식의 굴절망원경이었는데, 이 경우 관측 대상 주변에 무지갯빛 얼룩이 감돌아 선명한 상을 보기 어렵다는 문제가 있었다. 빛의 굴절 각도가 달라 생기는 색수차 때문이었다.

많은 과학자들이 색수차 문제를 해결하기 위해 렌즈를 개선하려고 애썼다. 뉴턴의 귀에도 자연히 이 이야기가 흘러들어왔다. 당시 빛의 성질에 대해 연구 중이었던 그는 망원경 렌즈의 성능을 개선해 흐릿한 상을 선명하게 만드는 것보다 선명한 상을 확대해서 보는 편이 나을 거라고 생각했다.

뉴턴은 빛을 오목거울에 반사시켜 한 점에 선명한 상이 맺히도록 한 후 그것을 렌즈로 확대시키는 방식을 이용하여 반사망원경을 만들었다. 발상의 전환으로 완성된 뉴턴의 반사망원경은 천체 관측 기술을 진일보시켰다는 평가를 받았고,

뉴턴의 설계에 따라 제작한 반사망원경과 원본 스케치.

공로를 인정받은 뉴턴은 왕립협회 회원으로 추천되는 영예를 누렸다.

뉴턴은 반사망원경으로 색수차 문제를 해결했다는 내용을 적은 편지에서 자신의 망원경은 빛의 성질을 파악하기 위해 시도한 실험에서 얻은 성과를 응용한 것이라고 밝혔다. 사실 그의 주된 관심사는 망원경이 아니라 빛 자체였다.

빛에 대한 뉴턴의 연구는 1662년 그가 처음 프리즘을 접하면서부터 시작되었다. 뉴턴은 어째서 빛이 프리즘을 통과하면 서로 다른 빛깔의 광선으로 나뉘는지가 궁금했다.

빛에 관한 책이란 책은 모조리 찾아 읽고 권위 있는 선배 학자들의 이론과 해설을 〈독서 노트〉에 기록해나가던 뉴턴은 도무지 수긍할 수 없는 지점에 이르렀다. 아리스토텔레스는 순수한 빛과 어둠이 섞여 색깔이 된다고 말했고, 데카르트 역시 프리즘의 특수한 성질 때문에 색깔이 나타나는 것이라 설명했다. 오늘날 우리가 교과서에서 배운 과학 개념에 대해 별다른 의문을 품지 않는 것처럼 당시 사람들은 빛에는 색깔이 없다는 것을 기정사실로 여겼다. 하지만 뉴턴은 프리즘을 통과한 빛이 만들어내는 무지개를 보며 의아해했다.

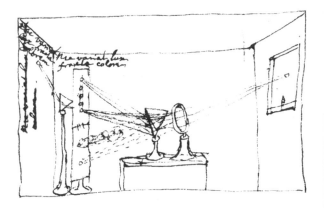

뉴턴이 빛의 성질에 관해 아리스토텔레스와 데카르트가 주장한 내용에 의심을 품고
이를 검증하고자 그린 실험 설계 스케치. 뉴턴은 프리즘을 통과한 백색광이 여러 가지
색깔로 나뉘었다가 다시 프리즘을 통과하여 모이면 백색광이 된다는 것을 밝혀냈다.
이 실험 스케치에서는 빛이 다섯 가지 색깔로 구분되어 있는데, 훗날 뉴턴은 7음계에
서 착안해 빛이 빨주노초파남보 일곱 가지 색깔의 광선으로 구성된다고 정리했다.

정말 프리즘 때문에 저 색깔들이 나타나는 것일까? 풀리지 않는 의문에 사로잡힌 뉴턴은 노트뿐만 아니라 온 집 안 곳곳에 프리즘을 그려놓고 빛의 본질에 대해 생각하고 또 생각했다.

뉴턴은 프리즘으로 빛의 성질을 실험하기 위한 구상을 〈실험 설계 노트〉에 스케치했다. 그는 책에서 읽었던 대로 빛이 고유의 성질을 갖고 있으며 프리즘을 통과하면서 변형된다는 것을 확인하기 위해 두 개의 프리즘을 사용했다. 작은 구멍에서 들어오는 빛이 첫 번째 프리즘을 통과하며 여러 가지 색깔로 나뉘었다. 뉴턴은 갈라진 색깔이 맺히는 곳에 다시 구멍을 내 하나의 색깔, 이를테면 빨간색 빛만 두 번째 프리즘을 통과하도록 실험을 설계했다.

아리스토텔레스와 데카르트의 주장대로라면 빨간색 빛이 두 번째 프리즘을 통과할 경우 프리즘에 의해 변형되어 다시 무지개가 나타날 터였다. 하지만 프리즘을 통과한 빨간색 빛은 무지개 대신 빨간색 점만을 보여줄 따름이었다.

기존 이론들의 모순을 해결하기 위해 새로운 가설을 세우고 실험을 고안해 그것을 검증하는 '연합'의 방식으로 빛의 성질에 대한 인식의 일대 전환이 일어났다. 자신의 실험을 바탕으로 뉴턴은 빛이 고유의 굴절률을 가지는 여러 광선들이 모인 것이며, 프리즘을 통과하면서 꺾이는 각도에 따라 다른 색깔의 광선들로 나뉜다는 사실을 밝혀냈다. 또한 빨간 시계에 노란색 빛을 비추면 노란색으로 보이는 현상을 관측함으로써, 우리가 물체의 색깔이라고 보아 알고 있는 것은 물체가 가진 고유한 속성이 아니라 물체의 표면에서 반사된 빛의 색깔이라는 사실을 알아냈다.

이렇듯 프리즘 연구에 심취했던 뉴턴은 10년간의 연구 끝에 「빛과 색에 관한 새로운 이론」을 발표했고, 마침내 30여 년에 걸친 빛에 대한 연구 결과를 집대성해 1704년 『광학』을 펴냈다.

○

구슬로 목걸이를 만드는 시간

○

뉴턴은 자신의 연구가 진리의 바닷가에서 놀다가 예쁜 조개껍데기를 주운 것과 같다고 비유한 바 있다. 하지만 보다 정확히 말하자면 그가 이룩한 업적은, 진리의 바닷가에서 놀다가 서로 어울리는 조개껍데기를 모아 꿰어 일찍이 누구도 상상하지 못한 아름다운 목걸이를 만들어낸 것과 같다.

창조적 업적은 어느 날 갑자기 탄생하는 것이 아니다. 사과가 떨어지는 순간, 프리즘을 손에 쥔 순간, 그 한순간에 모든 것을 꿰뚫는 통찰이 일어나 유레카를 외쳤으리라고 생각하면 오산이다. 우리 속담에 구슬이 서 말이라도 꿰어야 보배라는 말이 있다. 서 말의 구슬을 꿰려면 무엇보다도 집중력과 끈기가 필요하다.

하지만 긴 시간 한자리에서 구슬을 꿰는 것만으로 멋진 목걸이가 완성될까? 목걸이의 아름다움과 가치는 어떤 구슬 다음에 어떤 구슬을 연결하느냐에 달려 있다. 주머니에 담긴 구슬을 손에 잡히는 대로 하나씩 꺼낼 것이 아니라 구슬을 죄다 꺼내 늘어놓은 후 각각의 구슬의 모양을 살피고 다른 구슬과의 관련성을 찾아 분류하고 골라내고 맞대어 보며 전체 그림을 그려야 한다.

뉴턴은 오랜 시간 꾸준히 모아온 구슬들을 자신의 노트 위에 늘어놓고 가장 아름다운 목걸이를 완성하기 위한 결정적인 통찰에 이르기까지 끊임없이 숙고했다. 자신이 얻은 정보와 그에 대한 비판적 분석을 통해 스스로 결론을 이끌어내고자 했고, 만약 어떤 의심이 해소되지 않는다면 이를 해결하기 위한 실험을 고안하고 검증하려 노력했다. 적지 않은 시간을 진리의

미로 속에서 헤매야 했던 뉴턴에게 노트는 미로의 구조를 파악하는 지도가 되어주었다. 미로의 전체 요곽이 서서히 드러나는 순간에 바로 창조적인 혁신이 일어난다는 것을 뉴턴은 알고 있었던 첫 같다. 케임브리지 대학 도서관에 소장되어 있는 그의 노트에는 이런 문구가 적혀 있다.

"관찰하는 대상 앞에서 끊임없이 바라보며, 어둠이 걷히고 전체 그림이 보일 때까지 기다린다."

아인슈타인의 노트

○

세상에서 가장 유명한 공식

○

세상에서 가장 유명한 공식은 무엇일까? 광고에도 등장하고 상품명으로도 사용되었으며 인간 지성의 가장 위대한 성취 가운데 하나로 손꼽히는 공식. 바로 아인슈타인이 증명한 $E=mc^2$가 아닐까. 그런데 이 짧고 간단해 보이는 공식이 정규 교과과정 과학 교과서에는 실려 있지 않다. 또한 아인슈타인의 상대성이론을 온전히 이해하고 있는 사람을 주변에서 찾아보기도 쉽지 않다.

　나는 뉴턴과 아인슈타인을 수식하는 '천재'라는 신화를 걷어내고 그들의 과학적 창조성을 분석하는 연구에 꾸준히 관심을 가져왔다. 이제부터 아인슈타인이 남긴 다양한 기록과 노트를 바탕으로 상대성이론에 담긴 아인슈타인의 창조성과 그 원천을 살펴보자.

아인슈타인은 1905년 상대성이론의 한 축인 특수상대성이론을 완성하고 10년이 지난 1916년에야 나머지 한 축인 일반상대성이론을 발표했다. 특수상대성이론이 등속 운동을 하는 물체라는 특수한 경우에만 적용되는 이론이라면, 일반상대성이론은 중력을 포함한 가속 운동을 하는 모든 물체에 고루 적용할 수 있는 이론이다. 특수상대성이론과 일반상대성이론은 그 내용상 큰 차이를 보이지만 각각을 연구하는 과정에서 아인슈타인의 창조성이 발휘된 방식 자체도 달랐다.

1905년 당시 유럽에서는 막 철도가 놓이기 시작하면서 멀리 떨어진 기차역들에 열차가 도착하는 시간을 정확하게 맞추는 것이 중요한 이슈로 부상했다. 그 무렵 공무원으로 일하며 기차역들의 시계를 정확히 맞추는 방법에 대한 특허를 관리하던 아인슈타인은 정지해 있는 기차역과 움직이는 기차의 시간을 하나로 맞추기 위해서는 쌍방의 시계를 조정해야 한다는 데에서 연구의 돌파구를 찾았다. 즉 시간은 절대적으로 고정된 것이 아니라 상대적이라는 개념을 자신의 이론에 도입한 것이다. 그는 이 착상을 떠올리고 5주 만에 특수상대성이론을 완성했다.

하지만 일반상대성이론의 경우에는 아인슈타인이 특허청을 그만두고 학교로 돌아가 본격적으로 연구에만 몰두했음에도 불구하고 이론을 완성하기까지 무려 10년이라는 오랜 시간이 걸렸다. 무엇보다도 당시에는 중력에 관해 거의 알려진 바가 없었기 때문에 일반상대성이론의 구축을 위해 사전 학습할 정보가 부족했다. 뿐만 아니라 가설을 입증할 관측 자료도 없고 딱히 실험을 할 수도 없는 상황이었기에, 결국 아인슈타인은 익숙하지 않은 수학을 이용해 자신의 이론을 증명하기로 했다.

그는 텐서방정식 등 낯설고 어려운 수학을 새로 배워야 했다. 하지만 자신의 이론에 대한 확신이 있었던 아인슈타인은 결코 포기하려 들지 않았고 마침내 일반상대성이론을 증명하는 데 성공했다(일반상대성이론은 수학을 그 뼈대로 삼고 있기 때문에 특수상대성이론보다 더 난해하다).

특수상대성이론과 일반상대성이론은 서로 연관되어 있기는

하나. 엄밀히 말해 별개의 이론이다. 그러나 사람들은 이 두 가지 이론을 뭉뚱그려 상대성이론으로 동칭하며, 무엇보다도 '상대성'이라는 단어가 우리가 일상적으로 사용하는 '상대적'이라는 개념과 다름에도 불구하고 억지로 끌어다 붙여 해석하려고 한다. 또한 잘 알려진 '쌍둥이 형제의 역설'도 상대성이론의 4차원 시공간에서는 시간 역시 변할 수 있다는 개념을 설명하는 사례일 뿐, 시공간 자체에 대한 설명으로는 불충분하다.

즉 각각의 상대성이론을 이해하기 위해 전제되는 물리학적 개념 자체가 종이에 그려가며 설명할 수 있는 것이 아니고 일상에서 일어나는 사건과 비교하기 어렵기 때문에 머릿속에서 구현하기가 쉽지 않은 것이다. 물리학에 대한 이론적 지식이 없는 사람들로서는 아인슈타인처럼 머릿속 실험실에서 자신이 만든 가설을 자유자재로 실험하기는커녕 기본적인 실험설계조차도 떠올리기 어렵다. 더군다나 일반상대성이론의 경우에는 그 수학적 증명을 이해하지 못하고서는 안다고 할 수조차 없다.

나 역시 상대성이론에 대해서는 책과 강의를 통해 어렴풋이 알고 있을 뿐, 일반상대성이론의 수학적 증명을 직접 풀이해 보거나 한 것은 아니다. 그럼에도 내가 수많은 창조적 인물 가운데 유독 아인슈타인에게 관심을 갖게 된 것은 그가 혀를 내밀고 있는 유명한 사진 때문이다.

헝클어진 백발, 선명한 이마의 주름, 장난기로 가득한 눈동자, 콧수염 아래로 혀를 쑥 내밀고 있는 사진 속의 아인슈타인은 마치 영화나 만화에서 튀어나온 짓궂은 과학자처럼 보였다. 무엇보다도 70대 노인의 눈빛에 가득 어려 있는 생생한 호기심이 나를 끌어당겼다. 그것은 바로 평생을 호기심과 탐구심으로 살아온 창조적인 사람의 눈이었다.

대학 시절 그의 모습은 여느 대학생들과 별반 다르지 않았다. 작은 키에 곱슬머리, 눈빛만은 강렬했던 이십 대의 아인슈타인은 훌쩍 어디론가 배낭여행을 떠나곤 하는 자유분방한 기질에 바이올린을 수준급으로 연주하고 꽤 멋진 연애편지를 쓰는 조금은 별나고 낭만적인 청년이었다. 대학을 졸업한 후에 그는 제대로 된 추천서 한 장을 못 받고 취업난에 허덕이며 아르바이트를 전전하다가 겨우겨우 특허청에 계약직 공무원으로 취직했다.

1951년 아인슈타인의 72세 생일 파티에서 촬영된 이 사진은 한 경매에서 9400만 원 가량에 낙찰되었다.

1905년 무렵 아인슈타인은 스위스 베른에 있는 특허청 말단 공무원으로 일주일에 6일 출퇴근을 하는 삶을 살고 있었다. 그는 직장 생활, 연구, 가족과 보내는 시간 등으로 일과를 배분하여 생활했다. 아인슈타인은 직장인으로서의 생활보다는 일종의 취미이자 여가 활동이었던 연구에 심취해 있었는데, 특히 매주 자신의 집에서 친구들과 모여 밤새도록 수다를 떨었던 올림피아드 모임에 열심이었다.

철학자, 수학자, 물리학자로 구성된 이 모임에서는 다양한 분야의 주제를 놓고 각자의 의견(가설)을 말하고 이를 증명하는 토론이 벌어졌다. 아인슈타인은 빛과 입자, 시간과 공간, 물체의 운동에 대한 기존의 지식들을 자신의 관점에서 분석하고 새로운 가설을 제시하곤 했다.

그는 평범한 친목 모임 자리에서 떠올린 아이디어를 더 깊이 파고들었다. 그리고 학술적인 분석을 거쳐 아이디어를 발전시켜서 논리적인 체계를 만들고 결론을 이끌어내 연구 논문으로 완성했다. 그는 1905년 한 해 동안 세 편의 논문을 발표했다. 첫 번째 논문은 광전효과에 관한 것이었고, 두 번째는 브라운 운동, 세 번째는 특수상대성이론에 관한 것이었다.

아인슈타인은 금속에 빛을 쬐면 에너지를 흡수한 전자가

뛰어나온다는 광전효과를 통해 빛의 입자성을 밝힌 첫 번째 논문으로 1921년 노벨물리학상을 수상했다. 두 번째 논문에서는 공기 중에 떠다니는 먼지의 운동을 설명하며 원자의 존재를 입증했다. 세 번째 논문으로는 빛의 속도는 변하지 않기 때문에 정지한 사람과 움직이는 사람의 시간(거리)이 다르다는 특수상대성이론을 발표했다. 그리고 같은 해 세 번째 논문을 보충하면서, 원자에서 사라진 질량은 에너지로 바뀐다는 방정식 $E=mc^2$를 발표했다.

상대성이론과 모든 것의 시작

1999년 미국의 시사주간지 《타임》은 20세기의 가장 위대한 인물로 아인슈타인을 선정했다. 아인슈타인이 상대성이론을 완성한 것은 1916년의 일이다. 그로부터 100년이 지난 지금 우리는 그의 이론이 400년 동안 뉴턴적 세계관에 머물러 있었던 물리학의 틀을 깨고 현대 과학의 포문을 열었음을 알고 있다. 상대성이론은 우주에 대한 인류의 인식을 새롭게 확장했고, 인류가 우주로 진출할 수 있는 토대를 만들어주었다.

그 과정에서 아인슈타인은 결정적인 실수를 범하기도 했다. 그는 우주가 팽창하지도 수축하지도 않는 정적인 상태라고 생각했다. 하지만 그가 세운 방정식은 우주가 팽창한다는 결과를 보여주었다. 이에 그는 수학적으로 이미 증명된 방정식에 억지스럽게 상수를 집어넣음으로써 기존의 자기주장을 고집하려 했다.

그러나 상대성이론을 토대로 우주가 팽창한다는 것을 증명하기 위해 연구를 거듭하던 미국의 천문학자 허블이 멀리 떨어진 은하들이 멀어지는 속도를 측정해 우주 팽창의 증거를 찾아냈다(허블의 법칙). 결국 아인슈타인은 자신의 실수를 인정하고 정적인 우주에 대한 주장을 철회했다.

우주가 팽창한다는 것은 뒤집어 생각해보면 이 우주에 맨 처음, 모든 것이 하나로 압축되어 있었던 시작점이 존재한다는 뜻이다. 어느 순간 아주 높은 밀도로 뭉쳐진 뜨거운 점에서 대폭발이 일어나 시간과 공간, 물질과 에너지가 탄생했다는 빅뱅 이론의 기본 개념은 아인슈타인의 일반상대성이론에서 출발한다.

이처럼 아인슈타인의 창조성은 동시대 혹은 그다음 세대 과학자들의 창조성이 연쇄 폭발하는 도화선이 되었다. 약 100년에 걸쳐 허블, 가모프, 호킹 등으로 이어진 창조성의 연쇄 폭발은 인간이 지구상에 등장한 이래 끊임없이 탐구해온 질문, 세상 모든 것의 기원을 밝혀냈다.

이뿐만이 아니다. 아인슈타인은 일반상대성이론을 통해 빛조차 빠져나올 수 없을 만큼 큰 중력을 지닌 천체를 예측했고, 실제 관측을 통해서는 결코 확인할 수 없는 블랙홀의 존재가 그의 방정식을 통해 밝혀졌다. 질량-에너지 변환식인 $E=mc^2$에 기초하여 원자력 에너지의 기본 개념이 만들어졌으며, 현재 우리가 사용하는 자동차나 휴대폰 GPS 장치 및 암을 진단하는 의료 장비[PET]도 상대성이론을 응용한 것이다. 또한 그의 이론은 〈인터스텔라〉와 같은 흥미진진한 영화를 창작하는 상상력의 토대가 되기도 했다(이 영화의 시나리오 작가가 인터뷰에서 아인슈타인의 사고실험을 영상으로 보여주고 싶었다고 말한 바 있다).

○

아인슈타인의 뇌와 과학적 창조성

○

대부분의 사람은 죽을 때까지 자기 뇌의 10퍼센트도 사용하지 못하는 반면에 아인슈타인은 뇌의 15퍼센트를 사용한 천재였다는 얘기를 한 번쯤 들어본 적이 있을 것이다. 과연 이

말은 사실일까?

1955년 아인슈타인은 자신의 시신을 화장하되 해부해도 좋다는 유언을 남기고 세상을 떠났다. 시신을 해부했던 의사 토머스 하비는 가족들의 동의를 받지 않은 채 아인슈타인의 뇌를 분리해 남몰래 보관하기로 했다. 이 사실은 15년 동안 감추어져 있다가 한 기자에 의해 세상에 알려졌는데, 하비는 240개의 조각으로 나누어 보관 중인 아인슈타인의 뇌를 연구해 그의 창조성의 비밀을 밝힐 목적이었다고 털어놓았다. 아인슈타인의 뇌 조각은 조금씩 공개되다가 1998년 프린스턴 대학 병원에 전부 기증되었고 마침내 연구 결과가 발표되었다.

아인슈타인의 뇌는 1.23킬로그램으로 평균적인 인간 뇌의 무게 1.4킬로그램보다 조금 가벼웠다. 대뇌피질 역시 평균보다 얇았지만 신경세포의 밀도가 훨씬 높았고 피질의 주름이 깊고 많았다. 언어, 수리 능력과 공간지각 능력과 관련된 두정엽의 면적이 보통 사람보다 15퍼센트 정도 넓었고, 측두엽에 특이한 주름이 있었다. 또한 좌뇌와 우뇌를 연결하는 신경들이 밀집해 있는 뇌량의 크기가 평균보다 10퍼센트가량 큰 편이었다.

지능이 높은 사람의 뇌가 크고 무거울 거라는 추측은 빗나

갔고, 대뇌피질의 주름이 깊고 많을수록 지능이 높다는 기존의 연구와 일치하는 결과였다. 또한 어릴 적부터 음악 활동을 하면 뇌량이 커지고 좌뇌와 우뇌가 고루 발달하면서 수학적인 능력도 높아진다는 연구 결과를 뒷받침하기도 했다.

하지만 어떤 연구 내용을 살펴보더라도 아인슈타인이 뇌의 15퍼센트를 사용했다는 사실은 확인할 수 없다. 사실 뇌는 부위별로 기능이 분화되어 있고 신경세포 망을 통해 전 영역이 유기적으로 구동되는 방식이기 때문에 뇌의 15퍼센트만 사용한다는 것은 물리적으로 불가능하다. 뇌가 가진 잠재력의 15퍼센트를 뜻하는 말이라 볼 수도 있겠지만 현재까지 뇌의 잠재력을 측정할 방법은 밝혀지지 않았기 때문에 역시 확인할 길이 없다.

결론은 아인슈타인의 뇌를 보통 사람의 뇌와 비교했을 때 겉으로 드러난 차이가 유별나게 크지는 않았다는 것이다. 다만 최근 뇌과학의 연구 방법과 기술이 급속도로 발전하고 있으니, 앞으로 또 어떤 새로운 연구 결과가 나올지에 대한 기대는 남겨두는 게 좋을 듯하다.

아인슈타인의 뇌로부터 기대했던 만큼 창조성의 근거를 찾아내지 못했으니 다시 그가 남긴 연구 노트와 수만 건에 이르는 편지와 문서로 돌아가보자.

아인슈타인은 한 인터뷰에서 자신은 대부분의 정보를 영상적으로 기억하기 때문에 전화번호와 같은 단순 정보는 잘 기억하지 못한다고 말했다. 그는 말이나 글자를 통해 알게 된 정보들을 살아 숨 쉬는 영상으로 바꿔 이해한 후에야 다시 언어로 풀어냈다. 언제나 노트와 펜을 지니고 다녔던 아인슈타인에게 노트는 자신이 이해한 것을 재해석해 옮겨 적는 공간이나 다름없었다.

영상적인 아인슈타인의 사고법은 그가 일반상대성이론을 연구할 무렵 진행했던, 4차원 공간의 중력을 머릿속에서 자유자재로 조절하는 사고실험으로 이어졌다. 아인슈타인이 남긴 14권의 노트에는 자신의 이론을 증명하는 수식과 그래프, 도형이 가득하다. 그에게 노트는 머릿속 실험실에서 펼쳐진 일들을 세상에 전할 수 있게끔 풀어내는 가상의 실험실인 동시에 사고의 기록장이었고, 평생에 걸쳐 지속된 연구를 가능케 했던 연속성의 도구이자 몰입의 장이었다.

칙센트미하이와 토마스 쿤을 비롯한 수많은 연구자들은 뉴

'취리히 노트'라는 이름으로 잘 알려진 아인슈타인의 친필 노트. 자신의 생각을 설명할 때 수식과 도형을 자주 활용했던 아인슈타인은 모눈 노트를 즐겨 썼다.

턴이나 아인슈타인처럼 창조적인 과학자들을 움직이는 힘의 원천이 어떤 물질적 보상이나 명성 따위가 아니라 연구 자체에서 느끼는 순수한 즐거움이라고 말했다. 비단 뉴턴과 아인슈타인뿐만 아니라 인류의 과학 발전을 선도한 혁신적 과학자들의 상당수가 당대의 과학 패러다임으로부터 한걸음 떨어진 자리에서 그저 자신들의 연구를 즐기면서 주류 과학자들은 감히 떠올리지 못할 새롭고 과감한 발상을 접목하고 기발한 방식으로 문제를 해결하려 한 이들이었다.

과학적 창조성은 상상력과 영감, 호기심과 아이디어에서 출발해 지식과 지식, 지식과 기술의 창조적 결합을 통해 모순을 해결하고 새로운 가설을 도출하는 방식으로 발현된다. 하지만 모든 연구는 스스로의 주장을 명쾌하게 설명할 수 있는 증명 과정을 반드시 동반해야 한다.

이 과정에서 동원되는 방법론들은 과거의 선배들이 쌓아놓은 지식과 이론에 기반을 두어야 하므로 그들의 업적을 존중하고 배우려는 자세가 필요하다. 동시에 누구나가 절대적으로 옳다고 믿고 있는 이론이라 할지라도 자신이 납득할 수 없는 부분이 있다면 그 모순을 구체화하여 검증하려는 비판적 사고를 견지해야 한다. 뉴턴처럼 모순을 해결하는 과정에서 새로운 개념이나 아이디어를 접목해 혁신적인 실험을 설계하거나, 아인슈타인처럼 완전히 새로운 발상으로 기존 이론의 틀 자체를 뒤엎는 사고실험을 할 각오가 되어 있어야 한다.

그리고 그 실험을 통해 얻은 결과를 완벽하게 증명하지 않으면 안 된다. 독창적인 실험을 통해 새로운 결과를 얻는 것도 어려운 일이지만, 그렇게 이끌어낸 이론이 어떠한 반박에도 뒤집히지 않도록 증명하는 일은 훨씬 지난하고 고된 과정이다. 마치 전장의 한복판에 혼자 던져진 병사처럼 사방에서 날아오는 적들과 싸워 이겨야만 살아남을 수 있는 것이다.

몰입과 10년의 법칙

뉴턴과 아인슈타인이 얻은 '과학혁명의 상징'이라는 수식어는 결코 순간의 영감만으로 누릴 수 있는 영광이 아니다. 뉴턴이 처음 프리즘을 접하고 빛의 본질을 연구하기 시작해 『광학』을 완성하기까지 무려 30년이 걸렸고, 1666년 울즈소프의 사과나무 아래에서 "힘은 물체 간 거리의 제곱에 반비례한다"라는 메모를 노트에 적고 이를 만유인력의 법칙으로 체계화

하는 데에도 역시 30년이 걸렸다. 아인슈타인 또한 일반상대
성이론의 개념을 처음 떠올리고 자신의 이론을 증명하는 데
10년이 걸렸다.

　심리학자 앤더스 에릭슨은 아인슈타인, 피카소, 프로이트
등 자기 분야에서 최고의 성취를 거둔 사람들의 경력을 조사
해 그들의 창조성이 인생의 어느 시점에 폭발하는지를 연구했
다. 에릭슨의 연구 결과에 따르면, 이른바 천재라고 불렸던 사
람들도 해당 분야에서 창조적인 업적을 이루기까지 하루에 서
너 시간씩 10년간 집중적으로 자기 일에 매진해야 했다고 한
다. 여기서 나온 것이 에릭슨의 '10년의 법칙'이다.

　하워드 가드너 역시 피카소, 스트라빈스키, 마사 그레이엄
등 다양한 예술 분야 창조자들의 생애를 연구한 후, 타고난
재능이 있어도 10년 동안의 노력과 숙성 과정을 거친 후에야
불후의 명작을 탄생시킬 수 있다고 했다. 심지어 그는 "10년
동안 자신의 분야를 배우고 연구한 사람이라면 '천재'로 도약
할 수 있는 절호의 기회가 찾아온다"라고 말하기도 했다.

　유한한 인간의 일생에서 10년이란 결코 짧지 않은 시간이

다. 어떻게 그들은 미래에 대한 아무런 확신도, 약속된 보상도 없는 상태로 긴 시간 고난을 겪으면서 자신의 목표를 추구할 수 있었을까? 심리학자들은 창조적인 업적이 만들어지는 과정에서는 생각과 아이디어를 만들고 조합하는 인지 능력도 중요하지만, 뚜렷한 보상 없이 언제 이 일이 끝날지도 모르는 힘든 상황에서조차 끊임없이 노력을 쏟아부을 수 있게 만드는 심리적 능력, 즉 '자기 동기화'도 그에 못지않게 중요하다고 강조한다.

자기 동기화를 강화시키기 위해서는 두 가지 조건이 갖추어져야 한다. 첫째 그 일에 호기심과 흥미를 느껴야 한다. 다시 말해, 남이 시켜서 하는 일이 아니라 스스로 선택하고 개척한 일이어야 한다. 둘째 환경적 어려움이나 주변의 시선에 구애받지 않고 자신의 작업에 몰입하는 능력을 길러야 한다.

오랜 시간 창조성 연구에 매진한 칙센트미하이는 외부 조건에 휩쓸리지 않고 자신의 행동을 스스로 통제하며 내 운명의 주인이 나 자신인 듯한 느낌을 맛봄으로써 자아가 확장되는 자각이 일어나는 '최적 경험', 즉 몰입이야말로 창조의 원천이라고 했다. 몰입은 다른 어떤 것에도 주의를 돌리지 않은 채 자신의 모든 것을 던져버리고 무언가에 푹 빠져 있는 상태를 의미한다.

칙센트미하이에 따르면 몰입을 일으키는 활동의 특성은 크게 두 가지로 요약할 수 있다. 첫째 환경적 장애나 보상 등에 개의치 않고 고도의 집중력을 발휘하여 자의식 초월, 시간 감각 상실 등을 느끼는 것이다. 둘째 자신이 하는 작업이 잘 되어가는지, 아니면 잘못되었는지를 정확한 규칙과 지식을 바탕으로 제때제때 스스로 판단(자기 피드백)하고 행동함으로써 자신이 작업을 완전히 통제하고 있다는 느낌을 경험하는 것이다.

칙센트미하이가 말하는 몰입을 위한 일곱 가지 조건

1. 분명한 목표가 있어야 한다.

2. 어느 정도 잘 하고 있는지를 알아야 한다.

3. 일의 난이도와 능력이 균형을 이루어야 한다.

4. 일에 온 마음을 쏟아야 한다.

5. 방해받는 것을 피해야 한다.

6. 자기 자신, 시간, 주변을 잊어야 한다.

7. 경험 자체가 목적이 되어야 한다.

몰입의 상태에서 나타나는 일곱 가지 성향

1. 자신이 무엇을 해야 하는지 분명히 알고 있다.

2. 자신이 얼마나 잘 하고 있는지 알고 있다(자기 피드백).

3. 자신의 능력이 주어진 일을 하기에 적절하다고 느낀다.

4. 지금 하고 있는 일만 의식하며, 그렇기에 실패를 걱정할 여유가 없다.

5. 활동을 하는 동안에는 자아를 망각하고 자의식을 초월하며, 활동 후에 자아가 확장되는 감각을 맛본다.

6. 시간 감각을 상실한다. 몇 시간을 몇 분인 것처럼 느끼고 몇 분을 몇 시간처럼 느낀다.

7. 위의 성향들이 갖추어지면 무슨 일이든지 즐기면서 할 수 있다.

고도의 집중력과 자기 피드백, 노트는 이 두 요인을 강화시켜 몰입을 유도하는 결정적인 도구가 될 수 있다. 핀트리치와 호로트는 사람이 배우거나 알게 된 것을 자신의 언어로 표현하는 정교화 과정이 기억력과 사고력을 향상하는 데 효과적이며, 노트에 글을 써보는 것이 이를 위한 좋은 훈련이 된다고 말했다. 또한 트래프턴과 슐테는 과학적인 문제를 해결하는 과정에서 노트를 쓰는 것은 문제 해결을 촉진시킬 수 있는 중요한 전략이라고 했다.

특히 과학 분야에서의 창조적 업적은 호기심과 아이디어라는 확산적 사고와 논리와 증명이라는 수렴적 사고가 반복적으로 순환하는 과정을 필요로 한다. 이 과정에서 노트는 확산적 사고와 수렴적 사고를 동시에 펼쳐놓을 수 있는 자신만의 실험실이 되고, 그 실험실 안으로 들어가는 순간 외부의 환경적 요인이나 보상과 상관없이 연구에만 집중하도록 만든다. 연구 자체가 즐겁기 때문에 고도의 몰입이 일어나는 것이다.

또한 노트에 작업 과정을 기록함으로써 연구자의 뇌가 보존할 수 있는 기억 용량에 상관없이 언제든지 필요에 따라 전과정을 살펴볼 수 있고, 지나온 과정에서 잘못한 것과 잘한 것을 확인해 스스로 평가할 수 있기 때문에 자기 피드백이 가능하다는 장점이 있다.

뉴턴과 아인슈타인은 자신들이 연구하고 있는 주제를 노트를 통해 완벽히 통제하고 있다는 느낌을 받았을 것이다. 그들에게 노트는 누구의 방해도 받지 않고 스스로 통제할 수 있는 무대였으며, 이 위대한 창조자들은 노트가 만들어낸 시공간 안에서 현실의 시간을 잊고 그저 즐겁게 연구에 몰입할 수 있었다.

아인슈타인은 "나는 똑똑한 것이 아니라 단지 어떤 문제에 대해 남들보다 더 오래 생각했을 뿐이다"라고 했다. 아인슈타인의 아내는 밤늦도록 귀가하지 않은 아인슈타인을 찾으러 나갔다가 현관문 앞에 쭈그리고 앉아 노트에 뭔가를 적으며 몰입해 있는 그를 발견한 적이 한두 번이 아니었다고 한다.

그는 자신의 창조성을 물리적 이득이나 명예와 상관없이 자신이 파고든 문제에 감추어진 자연의 원리를 밝혀내기 위해 온전히 쏟아부었다. 자신의 이론을 증명하겠다는 분명한 목표를 이루기 위해 낯설고 어렵기 그지없는 수학을 배웠고, 증명 과정에 필요한 지식을 지닌 전문가들에게 끊임없이 자문을 구하며 이론의 오류를 수정해나갔다.

노트 앞에서 보낸 수많은 시간 동안 그는 완전히 몰입했고, 노트에 기록해놓은 증명 과정을 검증하고 또 검증하면서 자기 자신이 엄청난 무언가를 창조해냈다는 사실을 누구보다도 먼저 알게 되었을 것이다. 그리하여 자신의 이론에 확신을 갖게 된 아인슈타인은 더더욱 연구에 매진하며 아무런 보상 없이 어려운 환경 속에서도 꿋꿋이 연구를 이어갈 수 있었다.

세상에서 가장 작은 실험실

○

노트의 시간

○

노트가 창조적인 사람들의 능력을 향상시키는 도구였다는 것은 이미 많은 학자들의 연구에 의해 증명된 사실이다. 뿐만 아니라 노트 기법은 학습 전략으로 매우 효과적이고 각종 업무 등에도 유용하게 쓸 수 있다. 창조성을 극대화하는 노트 사용법 또한 꾸준히 연구되어왔으며, 단적으로 말해 그와 같은 '노트의 기술'은 분명히 존재한다.

노트는 창조적인 사람들의 연장통이자 작지만 무한히 공간을 확장할 수 있는 실험실이다. 이 실험실에서는 호기심과 상상력, 끊임없는 질문이 펼쳐지고, 그 모든 것들이 기록되기에 사라지지 않는다. 사방에 기록된 지식과 생각은 새롭게 유입되는 생각과 연합되고 연결된다. 보상이 뚜렷하지 않은 고된 과정에도 불구하고 창조적인 사람들은 이 작은 실험실이 제공해주는 즐거움과 몰입의 장 안에서 자신의 아이디어를 결과물로 완성해낸다.

최초의 발상에서부터 완결까지의 모든 과정이 오롯이 담긴 노트는 하나의 업적이 걸어온 기나긴 여정에 대한 유일무이한 증거이자 창조자의 삶이 남긴 위대한 유산이다. 그리고 그 유산의 수명은 인간의 수명보다 훨씬 길다.

다빈치, 뉴턴, 아인슈타인의 노트는 원래 당대의 많은 사람들이 사용한 평범한 노트 가운데 한 권이었을 것이다. 그러나 오늘날 이들 노트는 값어치를 매기기가 곤란한 인류의 보물이다. 상상해보라. 먼 훗날 세계적인 경매에 나온 당신의 노트를 보고 어마어마한 거액을 주고 사겠다고 나서는 사람을. 어느 박물관의 특별 전시실에서 스포트라이트를 받으며 대중 앞에 모습을 드러낸 당신의 노트를.

호기심이 샘솟는가? 아이디어가 떠오르는가? 그것은 금세 사라질 것이다. 그러니 일단 노트를 펼쳐라.

맨 처음 적는 글자는 생애의 첫 발자국과 같다. 처음 걸음마를 시작하는 아기는 아직 다리에 힘도 없고 걷는 근육을 쓸 줄도 몰라 첫 걸음을 내딛다가 혹은 몇 걸음 서툴게 옮기고는 넘어지게 마련이다. 하지만 일단 두 발로 걷는 것의 즐거움을 알고 난 아기는 넘어져도 이내 다시 일어나 걷기를 시도한다. 노트 쓰기도 마찬가지다. 한 페이지를 다 채우기도 전에 손목이 아파오고 눈도 침침해진 듯한 기분이 들 것이다. 그래도 끈기 있게 매달려보자. 아기들이 머지않아 운동장을 뛰놀게 되는 날이 오듯 당신의 노트는 당신만의 멋진 실험실이 될 것이다.

2부
내 서랍 속의 노트

평생 써먹을 수 있는 기술

○

인생을 바꾸는 기술

○

우리는 살아가면서 여러 가지 문제 상황에 봉착한다. 원하는 대학에 진학하고 싶은데 아무리 노력해도 좀처럼 성적이 오르지 않을 때, 신제품 론칭을 위한 프레젠테이션을 준비해야 하는데 아이디어가 궁할 때, 새로 이사 갈 집을 찾아야 하는데 하나부터 열까지 막막하기만 할 때……. 이런 문제들은 무작정 달려든다고 해결되는 것이 아니다. 무엇보다도 먼저 내가 처한 상황을 냉정하게 파악하고 해법을 찾아야 한다.

밤잠을 줄여가며 공부를 해도 성적이 오르지 않는다면 자신이 어떤 식으로 공부를 하고 있는지를 곰곰이 돌이켜볼 필요가 있다. 무작정 틈만 나면 문제집을 펼쳐든다고 해서 원하는 점수를 받을 수 있다면 이 세상에 공부만큼 쉬운 일도 없을 것이다. 누구에게나 똑같이 주어진 시간을 가지고 남들보다 좋은 성적을 내기 위해서는 학습 전략이 필요하며, 그것은 내게 딱 맞는 전략이어야 한다.

신제품 론칭을 준비하며 프레젠테이션을 해야 하는 입장이라면 USP, 타깃, 시장 상황, 스토리텔링 등의 명확한 제품 콘셉트가 한눈에 드러나도록 하는 일이 무엇보다도 중요할 것이다.

또한 새로 살 전셋집을 고를 때는 집세는 얼마이고 위치는 어디이며 교통은 편리한지 등을 비롯해 방 개수와 구조, 층수, 수압, 보일러, 방충망, 주차장의 유무와 같은 세세한 조건들을 체크리스트로 만드는 게 좋다. 그 가운데 양보할 수 있는 것과 없는 것에 대한 뚜렷한 기준을 세워 집을 고르는 것이다.

이처럼 어떤 문제를 해결하기 위해서는 무엇보다도 먼저 나만의 기준을 세워야 하고, 그에 따른 전략과 콘셉트가 필요하다. 기준이 없으면 내가 지금 맞게 잘 나아가고 있는지를 알기 어렵고 성공과 실패를 판별하기도 쉽지 않다. 반면에 명확한 기준을 가지고 일을 하면 설령 나중에 가서 실패하더라도 후회는 하지 않는다.

"어떻게 살 것인가?"

이는 우리가 살며 마주치는 여러 문제 상황 가운데 가장 막막한 순간, 그야말로 인생의 기로에서 떠올리게 되는 물음이다. 때로 이 질문은 "커서 어떤 사람이 될래?", "당신의 꿈은 무엇입니까?"와 같은 형태로 변주되기도 한다. 만약 인생에도 기준이 있다면 질문한 사람이나 대답한 사람이나 만족스럽게 고개를 끄덕일 만한 대답을 찾는 데 도움이 되지 않을까.

이십 대 중반 무렵, 한 세미나에서 파리 영화학교 교장의 강연을 들은 적이 있다. 강연 말미에 그는 이런 말을 했다. "우리 학교에서는 학생들에게 평생 동안 써먹을 수 있는 지식과 기술을 가르칩니다."

대학은 다양한 학생들이 다니는 곳이고, 옳든 그르든 시스템으로 움직일 수밖에 없는 곳이라는 게 당시의 내 생각이었다. 어떤 학생이 들어오든 공정한 기준을 통과하면 학점을 주고 졸업장을 수여하는 곳이 아니던가? 그런데 학생이 무사히 학점을 따고 졸업을 하는지가 아니라 평생 써먹을 수 있는 것을 배우고 있는지를 고민하다니, 그건 시스템만으로는 불가능한 일이다.

물론 영화학교의 특성상 영화를 만드는 것이 목표인 학생들이 입학할 테니 영화 만드는 기술을 가르치면 되지 않느냐고 반문하는 사람도 있을 것이다. 하지만 그렇게 배운 기술을 평생 써먹도록 하려면 기술을 가르칠 뿐만 아니라 영화를 계속 만드는 데 필요한 동기를 부여하고 자기 통제력을 길러주어야 하는데, 이는 결코 말처럼 쉬운 일이 아니다.

평생 써먹을 수 있는 기술을 익히는 과정에 왕도는 없다. 우선 할 일은 어떤 기술을 배울지를 결정하는 것이다. 누군가를 좋아하는 일이 결코 쉽지 않듯 좋아하는 기술을 찾는 것도, 그것을 평생 줄기차게 써먹는 것도 생각보다 어렵다. 삶의 향방은 늘 우리의 예측을 벗어나기 마련이고, '평생'이라는 말에 실린 무게감은 결코 만만히 볼 게 아니기 때문이다.

직장을 고를 때도, 사람을 사귈 때도, 콘텐츠를 기획할 때도, 강연을 들을 때도 '평생'의 무게는 내게 신중함을 요구했다. 그 무게감을 조금이나마 덜어준 것은 '배움'이었다. 당장 완벽하게 해낼 필요는 없다. 평생에 걸쳐 써먹을 기술이니만큼 시간을 들여 차근차근 배워나가겠다고 마음을 먹으니 실수를 해도 남는 것이 있었다.

기준을 갖고 바라보니 해법이 눈에 들어오기 시작했다. 내가 제일 먼저 배우고자 했던 '평생의 기술'은 스토리를 만드는 방법이었다. 나는 내게 주어진 이십 대의 모든 시간을 스토리 만드는 법을 터득하는 데 아낌없이 쏟아부었다.

스토리 만들기의 기본을 익힌 후에는 다양한 경험을 통해 '기획'이라는 기술을 체득했다. 과학이 무질서한 자연에서 질서를 찾아내듯, 기획은 수많은 사람들의 삶으로부터 누구나가 공감할 수 있는 스토리를 찾아 영화, 드라마, 공연, 출판 등의 플랫폼에 적합하게 가공하는 과정이다. 다시 말해 좋은 스토리를 발굴해 각종 콘텐츠로 제작한 후 유통시키는 일까지가 콘텐츠 기획자의 역할에 해당한다고 볼 수 있다. 쉽지 않은 단계를 거치며 배운 이 기술이 내 삶의 해법이 되어 지금껏 먹고사는 문제를 해결해주고 있으니 고마울 따름이다.

그 밖에도 자나 깨나 평생의 기술을 궁리하는 내 레이더에 포착된 것들 가운데에는 요리, 프리다이빙 등이 있다. 일단 기본기를 익힌 후 꾸준히 써먹다 보면 이렇게 배운 기술들이 나의 일상을 풍요롭게 만들어주며 새로운 스토리를 엮어내는 식의 삶의 패턴이 나도 모르는 새 정착된 지 오래다.

평생 써먹을 수 있는 기술을 찾아 배우고 꾸준히 활용하는 과정에서 내 인생의 스토리가 만들어진 대표적인 사례가 바로 노트이다. 지금도 내 서랍 속에는 긴 시간 소중하게 보관해온 세 권의 노트가 있다.

　요즘도 나는 하던 일이 잘 풀리지 않거나 해법이 떠오르지 않을 때, 내가 지금 맞게 잘 나아가고 있는지 의문이 들 때면 해묵은 노트를 펼쳐 들고 새하얀 노트의 공백을 채워가던 그때로 돌아가 각각의 노트가 가져온 내 인생의 터닝 포인트들을 반추하곤 한다. 지금 알고 있는 것들을 그때는 몰랐지만, 그 시절을 지나오지 않았으면 결코 알 수 없었을 것들에 관한 이야기를 꺼내보려고 한다.

대학 문을 열어준 노트

○

공부의 전략

○

고등학교에 들어간 나는 또래 친구들보다 조금 늦게 '중2병'에
걸렸다. 세상의 모든 고민을 혼자 짊어진 마당에 그깟 성적에
연연할 틈이 있을 턱이 있나. 당연하게도 고등학교 3학년 때
내 성적은 바닥이었다. 졸업과 동시에 꿈에 그리던 서울로 왔
지만 가방을 메고 간 곳은 대학이 아니라 입시 학원이었다.

지방에서 갓 올라온 재수생에게 서울의 입시 학원은 별세
상이었다. 저마다의 고민과 사연을 안고 모인 전국의 재수생
들은 서로의 처지에 대한 공감대로 똘똘 뭉쳐 어울려 다녔다.
술에 취해 노을 지는 한강 다리 위에 서서 어차피 이 방황은

당분간 끝나지 않을 터이니 너희들과 함께라 그나마 다행이라며 서로 절절하게 격려하고 위로하는 사이 공부는 뒷전으로 밀려났다. 정신이 번쩍 든 건 수능이 끝나고 원서를 쓸 때였다. 시원찮은 성적으로 불안하게 지원한 대학에서 합격 소식은 들려오지 않았다.

삼수생은 '그깟 성적'에 연연할 수밖에 없다. 막상 공부를 하려고 보니 내가 놓친 건 1년이 아니라 4년이었다. 고등학교에 들어간 뒤로 공부를 제대로 해본 적이 없었던 것이다. 급한 마음에 닥치는 대로 외우면서 문제집을 풀었다. 수학은 금세 되는 게 아니라는 생각에 일찌감치 포기했다. 바짝 긴장하고 공부한 덕분에 성적이 조금 올랐지만 상승세는 이내 꺾여버렸다. 이대로는 대학 문턱을 넘기가 어렵겠다는 좌절감이 밀려왔다.

나는 무턱대고 외우던 기존의 방식을 버리고, 좋은 대학에 들어간 친구와 선배를 찾아가 어떻게 공부하면 좋을지에 대해 조언을 구했다. 삼수생인 내 처지가 안쓰러웠는지 친구들은 저마다의 공부 방식을 얘기해주었다. 그저 절박한 마음에 지푸라기라도 잡아볼까 싶어 찾아갔던 것인데, 두 가지 놀라운 사실을 알아낼 수 있었다. 하나는 실제로 공부를 잘하는 방법이 존재한다는 것이었고, 다른 하나는 상위 1퍼센트 이내의 성적 우수자들에게는 제 나름의 공부 전략이 있다는 것이었다.

나는 그들의 공부법을 꼼꼼하게 정리한 후 내가 도저히 흉내낼 수 없는 경지의 것들(한 달 동안 절에 들어가서 수학의 정석 시리즈를 끝내고 나온다거나 수업 내용과 관련된 책들을 모조리 찾아 읽는다거나)은 보류하고, 학습 계획 짜기와 노트 정리, 수능 시험 시간표대로 공부하기, 이미지 연상법 등을 실행에 옮기기로 했다.

이렇게 한 달을 공부해본 후 나는 제한된 시간을 가장 효과적으로 활용할 수 있는 전략과 전술을 선택하여 그에 집중할 수 있게 되었다. 내가 세운 전략은 '시간을 정복하는 것'이었다.

러시아의 과학자 류비셰프는 하루 24시간을 셋으로 등분하여 8시간 취침, 8시간 업무, 8시간 개인 연구로 분류하였고, 더 나아가 하루 일과를 30분 단위로 기록함으로써 '시간을 정복한 남자'로 불렸다. 자신만의 시간 관리법에 따라 살았던 그는 평생 70여 권의 학술서와 1만 2000매가 넘는 연구 논문을 남겼는데, 더 놀라운 건 그 와중에도 매년 60회 이상 공연과 전시를 관람하며 취미 생활을 즐겼다는 점이다.

이 무렵의 나는 류비셰프와 그의 시간 관리법에 대해 알지 못했지만 나중에 알고 보니 나의 시간 정복 전략과 유사한 부분이 많았다. 대학 입시라는 뚜렷하고 한정적인 목표를 눈앞에 둔 입장으로서는 꽤 적절한 전략을 수립했던 셈이다.

○

시간을 정복하는 노트

○

시간을 정복하겠다는 전략을 세운 다음은 세부 전술을 짤 차례였다. 내가 개발해낸 비장의 전술 무기는 노트였다. 학생이라면 누구나 몇 권은 가지고 있게 마련인 노트를 나는 세 가지 용도로 구분해 사용했다.

첫 번째 노트는 〈일정 계획 노트〉다. 3개월 단위의 분기별로 월간, 주간, 일, 시간 단위까지 세세하게 일정을 구분해 구체적인 공부 계획을 기록한다. 제일 먼저 이번 분기에 주력할 영역을 정한다. 암기할 내용이 많은 과목보다 이해를 위주로 하는 과목에 우선적으로 집중하는 편이 좋다. 그다음에는 분기 내에 해당 영역의 과목들을 처음부터 끝까지 훑어볼 수 있

▶   지구과학1과 화학1은 각각 38챕터와 23챕터(누드교과서 기준)로 구성되어 있으니, 3개월 12주를 기준으로 지구과학1은 한 주당 3챕터, 화학1은 2챕터를 배분한다. 이 기간 동안 사회탐구와 제2외국어(또는 한문)는 한 주에 1챕터를 진행한다. 국어, 수학, 영어는 매일 조금씩이라도 진도를 나갈 수 있도록 한다. 특히 수학의 경우에는 교과서상의 한 챕터를 2~3회에 걸쳐 나눠 공부하도록 계획을 세우면 분량이 주는 압박감이 줄어든다.

		5일(월)	6일(화)	7일(수)	8일(목)	9일(금)	10일(토)	11일(일)
과학탐구	지구과학	소중한 지구— 행성으로서의 지구 생명체를 위한 최적의 환경, 지구			지구계의 구성과 생명체			지구계의 순환과 상호작용
	화학		화학의 언어— 인류 문명과 화학 인류 문명과 화학 반응			화학 물질의 구성성분		
사회탐구	한국사			우리 역사의 형성과 고대 국가의 발전 선사 문화와 우리 민족의 형성				
국어		어떤 시든 잘들 수 있는 세 가지 내용 화자가 누구냐?	상황이 파악되나?	시적 태도와 정서가 이해되나?	국어의 구조— 언어의 본질 언어와 인간	언어와 특징	어떤 시든 잘들 수 있는 세 가지 힘시 이미지가 또 보이나?	시상 전개 방식을 따라가보겠지?
수학		함수와 그래프 함수와 그 연산	함수와 그 연산2	역행렬과 연립일차방정식	역행렬과 연립일차방정식2	역행렬과 연립일차방정식3	그래프와 함수1	그래프와 함수2
영어								
제2외국어								

도록 단원을 배분한다. 계획표에는 단원명을 정확하게 적어 주는 게 좋다. 계획표를 짜면서 각 과목의 전체 구성을 살펴 보는 기회를 얻을 수 있기 때문이다.

계획표를 다 만든 후에는 하나씩 목표를 달성할 때마다 굵고 눈에 띄는 매직펜으로 칸이 꽉 차게 X표를 그려 넣자. 일주일이 지나 X표가 꽉 찬 계획표를 보면 스스로에 대한 뿌듯함과 더불어 공부에 대한 자신감이 생겨날 것이다.

류비셰프도 26세 때 시간 관리를 시작했으나 자신만의 시간 관리법을 완성한 건 40세가 넘어서라고 한다. 중요한 것은 일단 시간을 관리할 수 있게 된 후에는 그 기간이 얼마든 간에 지속되는 동안에는 최소 세 배 이상 효율적으로 시간을 활용할 수 있다는 점이다.

○

양쪽 뇌를 움직이는 마인드맵

○

두 번째 노트는 과목별 〈마인드맵 노트〉다. 이는 계획한 일정에 따라 해당 과목의 챕터를 하나의 마인드맵으로 정리하는 것이다. 토니 부잔이 고안한 마인드맵은 뇌의 신경 세포(뉴런) 구조를 본떠 중심 이미지에서 가지가 뻗어나가는 형태로 내용을 기술하는 필기법으로, 좌뇌와 우뇌를 고르게 활용하여 아이디어를 만들고 조직화하도록 유도한다. 토니 부잔은 레오나르도 다빈치의 노트에서 영감을 받아 마인드맵을 고안했다고 한다. 마인드맵을 만들 때는 이미지에 몇 가지 규칙을 적용함으로써 나중에 그것을 보고 생각의 흐름을 따라갈 수 있도록 해야 한다.

마인드맵의 규칙

1. 중심부의 이미지는 주제를 표현한다. 제목을 써도 좋지만 이미지로 표현하는 것이 더 효과적이다.

2. 중심 이미지 주변에 주요 단어들을 눈에 띄게(굵은 글씨나 다른 색으로) 적고 방사선 모양으로 연결시킨다. 이때 주요 단어는 한 줄에 하나씩만 쓰며 밑줄을 강조해 굵은 가지처럼 그린다.

3. 주요 단어에 관한 설명이나 요소 등은 주요 단어의 밑줄보다 가늘게 그어 잔가지처럼 보이도록 한다.

4. 마인드맵의 기본 틀이 완성되면 중요한 부분에 입체감을 주거

나 부호로 표시한다. 형광펜을 이용해도 좋다.

인간은 우뇌의 시각적·공간적 지각 능력과 좌뇌의 논리적·분석적 구조화를 통해 창조적으로 사고할 수 있으며, 정보에 색깔과 이미지를 부여함으로써 새로운 지식을 더 오래 기억할 수 있다. 심리학자 실베스터는 시각화 및 지도화 과정을 거치며 정보가 조직되고 결합될 때 우리의 기억력이 향상되며, 특히 어휘, 이미지, 숫자, 색깔, 공간 배치 등을 이용해 양쪽 뇌를 모두 활용하는 방식의 노트 사용은 인간의 뇌를 무한히 확장할 수 있게끔 해준다고 말했다.

이러한 기법을 효과적으로 적용한 것이 바로 마인드맵이다. 또한 마인드맵은 연상 결합을 통해 새로운 정보와 기존에 알고 있던 지식을 연결시켜 새로운 지식을 논리적으로 구조화하는 데 유리하며, (누구나가 자신만의 방식으로 마인드맵을 만들 수밖에 없으므로) 사용자 스스로 학습을 주도하도록 유도한다.

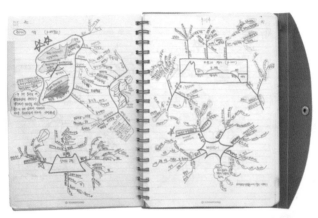

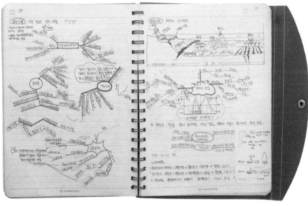

과학탐구와 사회탐구 과목의 주요 내용을 한 권에 담은 나의 〈마인드맵 노트〉. 매 쪽 상단에 교과목 이름을 쓰고 각 단원의 주제를 중심 키워드로 적은 후 핵심 요소를 하나의 마인드맵으로 그렸다.

○

한계를 넘는 자기 효능감

○

시간 정복을 꿈꾸는 수험생들에게 권하는 세 번째 전술 노트
는 〈오답 노트〉이다. 〈오답 노트〉의 핵심적 역할은 선택과 집
중을 통한 반복 학습을 가능하게 해준다는 것으로, 단순히 틀
린 문제를 한 번 더 확인하기 위함이 아니다. 따라서 〈오답 노
트〉를 작성할 때도 나름의 요령이 필요하다.

〈오답 노트〉 작성법

1. 〈오답 노트〉를 작성할 때, 문제 위에 반드시 그와 관련된 해당
   챕터를 찾아 적는다. 여러 챕터의 내용이 복합된 문제일 경우,
   모든 챕터의 제목을 나열한다.

2. 〈오답 노트〉에는 틀린 문제를 그대로 오려 붙이거나 베껴 쓴다.
   이때 그림이나 도표가 누락되지 않도록 주의한다.

3. 정확한 문제 풀이 과정은 직접 손으로 필기하여 작성한다.

4. 문제 풀이 옆에 해당 챕터의 중요한 키워드나 공식, 그림 등을
   반복해 필기한다.

5. 문제를 풀 당시 잘못 이해하거나 몰랐던 부분, 어려웠던 점, 문
   제 해결의 실마리 등 자신의 생각이나 감정을 적는다.

〈오답 노트〉가 비단 학생들에게만 필요한 것은 아니다. 우
리는 살면서 딱히 수학이나 과학 말고도 배워야 할 것들이 많
다. 자격증 취득, 취업, 진급 등 체계적으로 단계를 밟아가면
서 공부해야 하는 상황은 늘 찾아온다. 공무원들이나 대기업
임직원들이 치르는 진급 시험은 영어를 비롯해 업무와 관련
된 회계, 법 등의 과목을 포함한다. 한두 달 동안 집중적으로
학습해서 해결되는 것도 있으나, 장기간에 걸쳐 체계적으로
공부해야 하는 경우가 더 많다. 필요에 의해서 학습을 해야
하기 때문에 이를 지속하려는 동기가 무엇보다 중요하다. 한
두 번 난관에 부딪치다 보면 자신감이 떨어져 낯선 문제 앞에
서 불안하거나 불편한 감정이 일어 논리적인 사고를 할 수 없
게 되기도 한다. 〈오답 노트〉 작성법의 5번 항목을 주의 깊게
새겨야 하는 것은 이러한 과정이 학습에 대한 부정적 감정을
해소하여 자기 효능감을 높이도록 도와주기 때문이다.

시행착오 없이 이상의 세 가지 노트 전술을 자유자재로 활용하고자 하는 것은 과욕이다. 계획을 세우는 데만 해도 몇 시간이 걸리는 데다가, 어렵사리 짠 계획을 실행에 옮기고 겨우 하루 이틀 지났을 뿐인데 벌써 지키지 못한 항목이 하나둘씩 쌓여간다. 며칠 정도는 계획을 따라갈 수 있다 해도 이내 급한 사정이 생긴다든가, 몸 상태가 좋지 않다든가, 갑자기 누가 콘서트 표를 주었다든가 하는 이유 때문에 하루치 계획이 통째로 미뤄지고 만다. 어제 다 못 끝낸 일들을 하다 보면 오늘치 일을 마무리하지 못하고 내일로 미루는 경우가 다반사이다. 어디 그뿐인가. 멋들어진 마인드맵을 그려보겠다고 색색 펜을 준비해 책상 앞에 앉았으나 애꿎은 종이만 몇 장째 낭비하는 기분이 든다. 스트레스 지수가 상승할 대로 상승한다.

나도 이 시기를 견뎌야 했다. 날 때부터 노트 사용하는 법을 알았던 사람은 없다고, 노트는 누구나 하다 보면 그럭저럭 쓸 수 있는 거라고 생각할지 모르겠지만, 학습 목표 성취와 기억력 향상, 창의적인 사고로 연결되는 효과적인 노트 필기 전략을 내 것으로 만드는 데에는 상당한 시간과 훈련이 필요하다.

내가 입시 전쟁을 치르는 와중에 이 세 가지 노트 전술을 활용한 기간은 7개월이었다. 그 과정에서 알게 된 사실은 소위 말하는 상위 1퍼센트에 속하기 위해서는 플러스알파가 있어야 한다는 것이었다. 나는 미처 플러스알파까지 확보하지는 못했으나 막막하기만 하던 대학 문을 열어젖히고 마침내 입시 전쟁에서 빠져나올 수 있었다.

○

코넬 노트법

○

끝으로 덧붙이자면, 〈마인드맵 노트법〉과 더불어 학습 전략으로 아주 효과적이라고 평가받는 노트법이 있다. 바로 〈코넬 노트법〉이다. 코넬 대학교의 월터 포크 교수가 만든 이 노트 필기법은 발표된 지 벌써 60여 년이 다 되어가는 학습 방법으로, 그간 많은 연구자들에 의해 성적을 향상시킬 뿐만 아니라 인지 능력을 발달시키고 기억력과 창의성을 높여주는 효과가 있다는 사실이 밝혀졌다. 2010년 대한민국 교육부와 서울시 교육청에서 배포한 「자기주도 학습 지침서」에서도 〈코넬 노트법〉을 소개하고 있다.

〈코넬 노트법〉은 4개로 구분된 틀에 각각 기록해야 할 내용들을 분리해 노트를 쓰는 것을 기본으로 한다. 〈코넬 노트법〉을 수행할 때에는 다음의 사항들을 명심해야 한다. 기록: 불필요한 단어를 제거하고 핵심 내용을 표현하는 키워드만 적는다. 축약: 핵심 내용이나 질문을 단어, 기호, 도표, 색깔로 표시한다. 암기: 복습할 때 Cues 영역에 키워드를 적으며 암기한다. 사고 발전: 키워드를 뽑고 개요를 작성하면서 배운 내용을 심화 학습 한다. 복습: 노트를 중심으로 주 단위, 월 단위, 학기 단위로 반복 학습 한다.

이 노트법은 마인드맵과 마찬가지로 뇌의 구조와 기능을 활용해 학습 능력을 향상시킨다는 장점이 있다. 학습 내용을 스스로 선택하고 분류하면서 주의력과 집중력을 높이도록 해주고 적극적으로 자기 주도형 학습을 할 수 있도록 만든다. 사람은 저마다 뇌의 크기와 구조가 다르며, 대뇌피질과 뇌간, 감정조절 중추인 변연계와의 상호작용 회로망이 어떻게 형성되는가에 따라 자신에게 맞는 학습 방법이 결정된다.

또한 스스로 자신을 긍정적으로 생각하는지 부정적으로 생각하는지가 개인의 학습 동기 유발 및 지속성을 결정한다. 특히 학습 전략에 있어서 성공을 맛본 경험은 세로토닌과 도파민 등 행복한 기분과 성취감, 기대감과 관련된 신경전달물질 분비를 촉진함으로써 자신감을 높여주고, 이로써 복잡하고 난해한 문제 앞에서도 뇌 활동이 원활한 상태를 유지할 수 있다. 이렇듯 우리는 〈코넬 노트법〉과 같은 전략적 노트 활용을 통해 자신의 생각을 명료하게 하고 동기를 북돋을 수 있다.

〈코넬 노트법〉

Title	
날짜, 과목, 강사, 주제, 단원명, 학습 목표 등을 적는다.	
Cues	**Notes**
(복습을 할 때) 중심 내용, 키워드, 질문, 실마리 등을 단어 위주로 기록한다.	수업 내용을 간결한 문장과 기호, 그림, 지도 등을 이용해 적는다. 중요도에 따라 형광펜이나 컬러 펜을 사용해 표시한다.
Summary	
수업에서 가장 중요한 내용을 자신의 문장으로 다시 요약하여 적고, 보충 설명이나 오답 등을 메모한다.	

학습 전략 노트의 필기법

1900년대 초반부터 학습 전략으로 노트를 활용하는 것이 성적 향상에 효과적이라는 연구가 하나둘 나오기 시작했다. 특히 수업을 들으면서 노트 필기를 하면 수업 내용을 이해하기 위해 기존에 알고 있던 배경지식을 사용하고 이에 의미를 부여하면서 재구성하는 역동적인 활동으로부터 창조성이 발현될 수 있다.

연구자들은 학습 전략으로서 노트법을 활용할 때 다음 네 가지 개념을 구분하며 필기해야 한다고 강조한다. 첫째 해당 주제에 관한 우선순위를 고려해 중심 생각과 보조 생각을 구별한다. 둘째 노트에 키워드만 적을 경우, 단어들 간의 논리적 관계성을 확실하게 표시한다. 셋째 객관적인 정보들을 어떻게 이해했는지 사실과 의견을 구분해서 필기한다. 넷째 예시가 설명하고 있는 개념이나 의미를 명확하게 서술한다.

> 학습 전략으로서 노트 필기를 할 때 구분해야 하는 개념
>
> 1. 중심 생각과 보조 생각

2. 키워드 사이의 논리 및 관계

3. 사실과 의견

4. 예시와 의미

그런데 막상 수업을 들으면서 필기를 해보면 들은 내용을 노트에 나열하는 식이 되어버리기 일쑤다. 수업 내용을 노트에 적어나가면서 위의 개념들을 구분하려면 상당한 집중력이 필요하며, 어느 정도 훈련을 한 후에야 노트 필기를 전략적으로 활용하는 것이 가능하다.

〈학습 전략 노트〉는 단지 수험생만을 위한 것이 아니다. 괴테는 가장 유능한 사람은 언제나 배우기 위해 노력하는 사람이라고 했다. 배우고 익히는 데 의지를 갖고 자기만의 전략과 전술을 구사할 수 있다면 그 무엇도 배움을 가로막지 못할 것이다.

노트는 동기를 부여해주고 자기 효능감을 높일 수 있는 최적의 학습 도구이다. 이제부터 펼쳐보려는 내 서랍 속의 두 번째 노트를 통해 학습 전략 도구에서 한 걸음 더 나아가 창조의 도구로 진화한 노트의 기술을 살펴보자.

시나리오 작가의 연장통

o

강의 노트 작성 프로세스

o

2004년 당시 대학 졸업을 앞둔 나는 시나리오 작가 지망생이었다. 시나리오는 영화를 만들기 위한 대본이기에 시나리오 작가가 되기 위해서는 스토리텔링 창작 능력을 갖추어야 하는 것은 물론이고 기술적인 형식을 숙지하고 있어야 한다.

혼자서 습작을 쓰다가 한계에 부딪힌 나는 현장의 전문가들에게 시나리오 작법을 배우기 위해 작가 교육원에 찾아갔다. 단편 영화(15분 내외), 장편 드라마(60분 내외), 장편 영화(120분 내외) 순으로 작법 수업을 들으며 그 기간 동안 자신의 시나리오를 완성하는 방식이었다.

한글 문서로 작성한 〈시나리오 강의 노트〉. 완성한 후에는 출력해 스프링으로 제본하여 수시로 볼 수 있게 보관했다.

첫 수업 시간에 나는 노트북을 활용해 〈코넬 노트법〉으로 필기를 했다. 하지만 작법 수업은 수강생의 성적을 올리는 것을 목표로 하는 대학 입시 학원이나 자격증 및 토익 전문 학원 등의 학습형 수업과는 다르다. 정보성이 강조되는 부분도 물론 있지만, 작가의 경험이나 감각, 노하우 등 감정 언어로 표현되는 내용이 훨씬 유용하다. 이런 사실을 미처 몰랐던 나는 처음 수업을 들으며 〈코넬 노트법〉의 키워드 중심 필기 방식을 적용하는 데 애를 먹었다. 맥락 없이 나열된 단어만으로는 작가가 말하고자 하는 바를 파악하기 어렵기 때문이었다.

첫 수업의 감동 때문이었을까. 그때까지 이렇다 할 연장통도 연장도 없었던 나는 앞으로 6개월간 이어질 이 수업을 들으며 나만의 연장을 만들어야겠다고 결심했다. 그렇게 완성한 연장이 바로 지금 내 서랍 속에 있는 〈시나리오 강의 노트〉이다.

나는 〈시나리오 강의 노트〉를 어떻게 만들지를 놓고 고민하던 끝에 4단계의 프로세스를 짰다. 1단계 녹취: 강의 전체를 녹취한다. 2단계 녹취록 작성: 녹취한 강의를 다시 들으며 작가의 육성을 최대한 있는 그대로 받아 적는다. 3단계 재구성

및 필기: 각 회차별 강의 주제를 스스로 정리하고(당시 내가 들은 강의는 정해진 커리큘럼이 따로 없었다) 주제에 따라 세부 카테고리(소제목)를 만든 후 청취록을 분류한다. 그러고 나서 누락된 부분이 없도록 해당 부분의 녹취 기록을 다시 들으며 노트를 정리한다. '시놉시스 쓸 때의 유의점', '목적의식', '아름다운 족쇄', '밸런스와 추진력' 등 글머리표(▶)를 넣어 소제목을 붙이고, 각 소제목에 들어갈 내용은 구어체 표현을 최대한 살려준다. 4단계 편집: 강의에서 언급된 작품이나 시나리오 등의 부대 자료를 보충하고 그래프나 그림 등을 추가해 강의와 관련된 모든 내용을 한 권의 노트에 정리한다. 다시 말해 그 노트만으로 전체 강의 내용을 파악할 수 있는 동시에, 빠르게 넘겨도 핵심 내용이 한눈에 들어오도록 만드는 것이다. 전체 내용 정리를 끝마친 후에는 강의 시간에 적은 메모를 바탕으로 중요한 부분의 글자 크기를 키우고 컬러를 입혀 강약 조절을 하고, 강의를 들으며 떠오른 의문이나 단상들을 별도의 글머리표(*)와 함께 붉은색 글씨로 덧붙였다.

사실 이와 같은 방식으로 노트 필기를 하려면 앞서 소개한 학습 노트 필기 때의 두 배가 넘는 시간과 노력이 필요하다. 〈마인드맵 노트〉가 교과서 여러 쪽의 내용을 압축해서 한 장으로 요약하는 것이라면, 〈시나리오 강의 노트〉는 녹취록을 편집해 책을 만드는 작업이나 다름없었다.

내 경험상 2시간 정도의 강의를 들으며 작성한 녹취록은 A4 용지에 10포인트 크기 글자로 입력했을 때 약 6매가량이 된다. 이 내용을 검토하면서 강의 주제와 소제목을 뽑아 구성안을 만드는 작업도 1시간 이상 소요된다. 구성을 짠 후에 다시 녹취 파일을 돌려 들으며 누락된 내용을 보강하거나 강조할 부분을 확인하는 데 약 2시간, 편집 단계까지 마무리하는 데 3시간이 걸린다.

아직 일이 손에 익지 않던 초반에는 강의 1회당 노트 작업 시간이 8시간 이상 걸리기도 했으나 숙련된 후에는 평균 4시간 안팎으로 줄어들었다.

〈시나리오 강의 노트〉

- 4강 -

▶ **시놉시스 쓸 때의 유의점**

● 감성에 관련된 문서다. 내용을 축약하면 뉘앙스가 사라진다.

● 일부로 전체를 짐작할 수 있다.

- 최선의 기운이 느껴져야 시나리오를, 영화를 보고 싶다.

- 이야기의 척추가 있으면 에피소드는 저절로 생성되며, 주인공의 캐릭터를 잡으면 척추가 생겨난다.

- 참신한 시도와 더불어 내용 전달이 충실해야 한다.

- 관객의 니즈에 맞춰 써야 한다.

- 세 덩이(시작, 절정, 결말)로 나뉜 이야기의 질감이 느껴져야 한다.

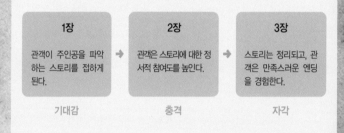

1장	2장	3장
관객이 주인공을 파악하는 스토리를 접하게 된다.	관객은 스토리에 대한 정서적 참여도를 높인다.	스토리는 정리되고, 관객은 만족스러운 엔딩을 경험한다.
기대감	충격	자각

* 정서로 표현된 세 줄 시놉시스는 읽는 이의 마음을 건드린다.

▶ **예시 〈8월의 크리스마스〉**

1. 삶은 무료하고 단조롭다. (우울, 무료함)

2. 죽음이 눈앞에 다가오니 삶이 왜 이렇게 아까울까? (회한, 안타까움)

3. 죽음이 있기 때문에 삶이 아름다운 거였구나! (통찰, 카타르시스)

이처럼 지난한 과정을 거쳐 완성한 〈시나리오 강의 노트〉는 총 21강 193쪽에 달하는 나의 소중한 연장이 되어 지금까지도 새로운 시나리오를 개발할 때마다 유용하게 쓰이고 있다.

10년이 지난 지금도 이 노트를 펼쳐보면 소제목을 중심으로 컬러와 볼드체로 강조된 부분들에 시선이 집중되고, 중간에 삽입된 간단한 그림이나 도표, 글 상자 덕분에 내용을 한눈에 알아볼 수 있다.

무엇보다 "소박하고 따뜻하면서도 애처로운, 거창하지 않은 목적의식에 희한하게도 관객들이 마음을 주더라", "관객은 쉽게 주인공에게 업히지 않아. 주인공에게 업히기엔 그의 등이 너무 차갑거든"과 같이 당시 강의를 담당했던 작가 특유의 감성적인 표현이 고스란히 담겨 있어서, 노트를 보는 동안 마치 그때 그 강의실에 돌아가 있는 듯 생생한 현장감을 느끼며 신기할 정도로 기억이 상세하게 복원되는 효과를 경험할 수 있다. 〈시나리오 강의 노트〉에서 주목해야 할 것은 바로 이 부분이다.

노트에 관한 여러 연구를 살펴보면 자신의 언어로 의역하거나 단축어 및 약호를 사용함으로써 습득한 내용을 재정리하고 요약하는 것이 기억의 보존과 환기에 효과적이라고 한다. 하지만 〈시나리오 강의 노트〉가 만들어진 방식은 그와는 거리가 멀다. 그럼에도 불구하고 이토록 생생한 복원력을 지니고 있는 것은 어째서일까? 그것은 우리의 뇌가 고유한 정보 처리 과정을 통해 기억을 저장하기 때문이다.

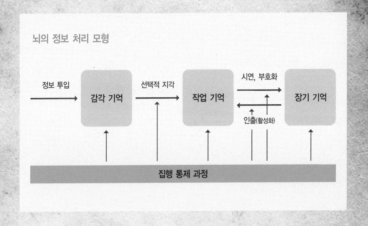

기억이란 최초의 정보가 입력되었다가 사라지는 과정에서 자극이나 상황, 아이디어나 이미지, 기능에 대한 정보 일부가 장기 기억에 저장되었다가 또 다른 자극에 의해 복원되는 과정이다.

우리가 접하는 대부분의 정보는 눈이나 귀, 코 등의 감각 기관에 투입된 후 1~2초 만에 소멸되기 마련인데 그중에서 필요한 것을 선별하고 인식하는 작용을 지각이라고 한다. 지각은 우리가 대상에 의식적으로 주의를 기울임으로써 발생하며, 이때 중요한 역할을 하는 것이 우리가 이미 알고 있는 지식, 즉 장기 기억의 내용이다. 예를 들어 수많은 사람이 오가는 거리에서 아는 사람의 얼굴을 금세 찾아내는 것도 우리의 기억이 지각에 영향을 미치는 사례이다.

감각기관을 통해 입수한 정보는 우선 작업 기억으로 활성화된다. 약 30초 내외의 짧은 시간 동안 우리 뇌의 전두엽에 있는 작업 기억의 본부에서는 불필요한 정보를 무시하고 우선순위가 높은 정보만을 선별한다. 그리고 장기 기억에서 필요한 정보를 불러와 어떤 문제를 해결하거나 계산하거나 새로운 아이디어를 추출하는 정보 처리 과정을 수행한다. 작업 기억은 이처럼 선택과 집중, 정보 처리를 통해 우리의 사고와 행동을 결정짓는 작전 사령부인 셈이다.

하지만 작업 기억에서 처리된 정보는 유지 기간이 짧아 대부분 일시적으로만 저장되었다가 사라지는데, 다행스럽게도 뇌는 이론상 무한한 정보를 한평생 기억할 수 있는 장기 기억이라는.것을 가지고 있다. 작업 기억의 정보를 장기 기억으로 넘기는 데에는 다양한 방법이 존재한다. 이를 기억 전략이라 하며 대표적인 예로는 시연, 조직화, 정교화, 심상법 등이 있다.

· 시연은 중요한 내용에 밑줄을 긋거나 색깔을 입혀 강조하고 여러 번 적으면서 외우는 것으로 가장 단순한 기억 방법이다. 조금 더 고차원적인 방법으로는 비슷하거나 서로 연관된 것들을 한데 묶어 덩어리로 기억하는 조직화, 기존에 알고 있던 장기 기억의 정보와 연계하여 통합하거나 새로운 정보로 가공해 기억하는 정교화, 특정한 이미지와 연결하거나 영상화하여 기억하는 심상법이 있다. 이러한 방식으로 장기 기억에 저장된 정보들은 시간이 흐른 뒤에도 그와 연관된 자극을 받으면 작업 기억으로 활성화된다.

많은 연구자들은 기억 전략을 효율적으로 활용하는 방법 가운데 하나가 노트를 쓰는 것이라고 말한다. 노트 쓰기는 크게 필기와 구성으로 나뉜다. 필기는 단순히 내용을 받아 적는 것으로서 시연에 해당하고, 목적에 따라 정보를 바꿔 쓰거나 요약하고 질문을 추가하는 등의 구성은 조직화, 정교화, 심상법에 해당한다.

〈시나리오 강의 노트〉의 4단계 프로세스를 살펴보면 2단계의 녹취록 작성은 시연, 3단계와 4단계의 재구성과 편집은 조직화, 정교화, 심상법이라고 볼 수 있다. 특히 제목과 소제목을 뽑으면서 전체적인 정보의 체계와 위계를 분류하고 질문이나 느낌, 생각을 추가하며 나의 언어로 재구성하는 과정에서는 절로 고차원적인 인지 작용이 발생한다.

몇 시간을 투자해 노트를 정리하는 동안 장기 기억에 보존된 정보는 비단 노트에 기록된 내용뿐만이 아니다: 당시 함께 수업을 들었던 사람들의 모습과 말투, 노트를 정리하던 순간의 책상 주변이나 방 안 풍경 등 구체적인 이미지도 함께 장기 기억에 저장되면서 심상법이 촉진된 것을 알 수 있다.

또한 노트는 조직화된 정보와 각 정보를 활성화하는 단서, 연결점, 사고의 흐름을 보존하여 망각으로부터 우리를 보호한다. 과거에 쓴 일기를 보면 많은 정보가 담겨 있지 않아도 거기에 묻어 있는 기쁨이나 슬픔, 고독이나 설렘을 발견하고 당시에 겪었던 일들을 되새기며 과거의 내가 현재의 나와 연결되는 기시감을 겪곤 한다. 얼핏 평범해 보이는 문장 하나가 일종의 스위치가 되어 장기 기억을 관장하는 뇌 시스템뿐만 아니라 감정을 처리하는 시스템 또한 활성화시키고, 뇌는 이 모든 것을 종합하여 기억을 복원해낸다.

우리 뇌에서 분비되는 도파민은 생각과 감정, 행동과 관련된 신경 전달 물질이다. 도파민은 뇌에 존재하는 기대와 보상의 체계를 작동시켜 쾌감을 일으킨다. 새로운 것에 강하게 끌리거나 문제를 해결했을 때 쾌감을 느끼게 함으로써 작업에 즐겁게 몰입하도록 만들고 나아가 기억을 융합해 통찰을 발휘하게 한다. 감정을 중심으로 생각과 행동을 강화시키는 도파민의 작용을 활성화하기 위해서는 창작 과정을 기록할 때 감성 언어를 사용하는 것이 효과적이다.

창조자의 연장통 안에는 무슨 거창하고 대단한 비법 같은 건 담겨 있지 않다. 수많은 예술가들이 자신의 창작 과정을 공개하고 기술과 원리를 밝히는 데 별 거리낌이 없는 이유도 여기에 있다. 결국 그들의 연장통에는 오랜 시간 장기 기억에 축적해온 자신의 경험과 감정과 지혜를 통찰로 연결하는 자신만의 스위치가 들어 있을 따름인 것이다. 누가 몰래 그들의 스위치를 훔쳐다가 아무리 눌러댄다 해도 애초에 입력되어 있는 정보가 다르니 똑같은 창작물을 생산해낼 수 있을 리 만무하다.

미국의 영화감독 짐 자무시는 이렇게 말했다.

"어떤 울림을 느끼거나 상상력을 자극하는 것이 있다면 망설이지 말고 훔쳐라. 고전 영화, 최신 영화, 음악, 책, 그림, 사진, 시, 꿈, 대화, 건축, 다리, 간판, 나무, 구름, 빛과 그림자……. 당신의 영혼과 맞닿아 있는 것을 훔친다면 당신이 훔친 것은 결국 당신만의 진품이 될 것이다."

자, 당신의 노트에 닮고 싶고 흉내 내고 싶은 사람들의 생각과 아이디어, 글을 적어보자. 그리고 그것들을 바꿔보고, 줄여보고, 살찌우면서 숙성시키자. 그 노트에서 뭐가 튀어나올지는 열어봐야 안다.

연장통에 넣어두면 좋을 시넥틱스 발상법

시넥틱스Synectics 발상법은 아이디어를 시각화하여 발전시키는 방법이다. 이는 우리가 현재의 틀에서 벗어나거나 틀 자체를 재해석하도록 돕는다.

단순화   아이디어에서 일부 요소를 지우거나 축소, 생략하기

결합   비슷하지 않은 것들에 관계를 부여해 연결하기

반복	주제의 패턴을 만들어 전체 또는 부분적으로 반복하거나 이중적으로 적용하기
덧붙이기	훔친 아이디어를 발전시키거나 자신의 아이디어에 덧붙여보기
재배치	아이디어의 시간적 순서를 바꾸거나 다른 배경이나 상황 속에 적용해보기
의인화	사람이 아닌 사물, 동물, 자연에 인간의 특성을 부여해보기
위에 겹쳐놓기	두 개 이상의 아이디어나 시간과 공간을 겹쳐 새롭게 바라보기
크기 바꾸기	중심 아이디어의 물리적 크기를 변화시키기
잘라서 쪼개기	주제나 아이디어를 조각조각 나누어 해부해보기
분리	서로 연결되어 하나를 이루고 있는 아이디어를 분리해서 생각하기
왜곡	원래의 모양이나 비례, 의미를 변용하여 확대하거나 축소시키고 두껍게 하거나 가늘게 해서 바라보기
위장	중심 아이디어를 기존의 아이디어로 위장하거나 감추기

모순	원래 의미나 기능을 반전시키거나 모순을 강조해 풍자하기
패러디	우스꽝스럽게 만들거나 농담으로 풍자하기
애매모호	명확한 주제나 특징을 모호하게 하거나 가짜처럼 만들기
비유·유추	다른 아이디어나 사물 사이의 유사성을 찾아 비교하거나 의미를 확장하기
하이브리드	서로 다른 영역에 있는 것을 한데 묶어 붙여보기
변형	변화하는 과정에 대한 묘사나 형태를 은유적으로 표현하기
상징화	의미나 특징을 기호화하기
신화화	하찮거나 일상적인 것에 신화적 의미를 부여하기
환상	초현실적인 이미지나 독특한 생각으로 바꿔보기

4

콘셉트의 연금술

○

패턴적 사고

○

'전 세계를 뒤집어놓은 한 장의 지도'라는 검색어가 실시간

이슈로 떠오른 적이 있다. 얼마나 대단한 지도이기에 전 세계
를 뒤집어놓았는지 궁금해 클릭을 했다가 "에이, 뭐야!" 하며
실망을 감추지 못한 사람들이 많았을 것이다. 그저 평범한 세
계지도의 위아래를 반대로 해놓은 지도였기 때문이다.

우스갯소리로 치부하고 지나치기 전에 이 지도에서 우리나
라를 한번 찾아보자. 먼저 아시아를 찾고 그다음에 동북아시
아에 위치한 한반도를 찾거나, 일본의 위치를 파악하고 이어
서 한국을 발견하는 식이 될 것이다. 북반구가 위에 있고 남반
구가 아래에 있는 평면 지도에 익숙한 우리로서는 뒤집힌 지
도에서 대한민국을 바로 찾아내기가 쉽지 않은 게 사실이다.

상하좌우가 없는 우주에서 지구를 바라보면 어떨까? 평면
지도에 묘사된 대륙의 형태와 구면에 펼쳐진 실제 모습이 다
를뿐더러 동서남북의 구분조차 없으니 어느 정도 눈에 익은
대륙의 패턴을 찾은 후에야 한국을 찾을 수 있을 것이다.

이러한 패턴적 사고는 과학자나 소설가, 예술가의 창조성
의 근원이기도 하다. 과학자들은 무질서해 보이는 자연에서
규칙이라는 패턴을 찾아내고 이를 논리적으로 증명하기 위해
연구를 한다. 스티븐 킹은 소설 쓰기를 가리켜 "이미 존재하
고 있으나 아직 발견되지 않은 세계의 유물을 자신의 연장을

사용해 온전하게 발굴하는 것"이라고 했다. 위대한 미술 작품 역시 작가가 추구하는 미학적 패턴이 캔버스나 소재 위에 구현된 것이다. 이는 우리가 지각하는 것들을 덩이^{Chunk}와 구조, 의미망의 형태로 기억하기 때문이다. 인간의 창조성은 입력된 정보와 기억의 연계, 판단, 추리, 상상, 깨달음 등의 복잡한 사고 과정을 거치며 패턴을 인식하는 고도의 정신 활동을 통해 발현된다.

뇌과학자들의 연구에 따르면 뇌의 패턴적 사고는 훈련을 통해 계발될 수 있다고 한다. 패턴적 사고를 반복적으로 훈련해 숙달하고 나면 더 적은 에너지로도 패턴을 발견할 수 있고 (효율성이 높아지고), 필요할 때면 자동적으로 패턴적 사고를 수행하는 일이 가능하다. 이 훈련을 통해 얼마나 창조적인 결과물을 생산하는가는 전적으로 개인의 역량과 노력에 달려 있다. 창조적인 생산성을 높일 수 있는 시스템을 갖추어야 한다는 것, 이것이 바로 내 서랍 속에 있는 세 번째 노트가 던지는 화두이다.

카피로 쓴 콘셉트

대학을 졸업하고 직장에 다니면서도 나는 여전히 배움에 목말랐다. 새롭게 관심을 갖게 된 분야나 실무와 관련된 교육을 받기 위해 각종 세미나와 교육원을 찾아다니며 강의를 들었다. 강의는 관심 분야의 전문가를 만나는 가장 쉬운 방법이며, 관심사가 비슷한 사람들과의 커뮤니티 활동을 통해 실용적인 노하우와 최신 정보를 얻을 수 있는 유용한 수단이기도 하다. 직장에서 콘텐츠 기획을 하던 나는 기획안을 쓸 때 도움이 될 만한 강의를 찾던 중 카피라이팅에 대해 알게 되었다.

카피는 주로 광고에서 제품이나 정보를 소개할 때 문장으로 표현하는 것을 뜻한다. 제한된 지면에서 짧은 문구를 통해 사람들의 관심을 집중시키고 콘텐츠의 핵심을 뇌리에 각인시키는 카피는 광고뿐만 아니라 기획안부터 보도자료, 제품 소개, 기사 헤드라인, 책의 부제, 슬로건 등 기획자의 각종 업무에 다양하게 활용된다. 카피 쓰는 법에 대해 따로 교육을 받은 적이 없던 나는 카피라이터 탁정언 교수의 〈카피라이터 실무: 콘셉트부터 카피라이팅까지〉 강의를 듣기로 했다.

처음에는 평생 써먹을 수 있는 기술의 하나로 카피 쓰는 법을 배우겠구나 싶었지만 넉 달여에 걸친 이 강의가 끝나갈 무렵 내 머릿속에 강렬하게 새겨진 것은 '콘셉트의 중요성'이었다.

콘셉트는 기획의 꽃이다. 출판, 영화, 드라마, 애니메이션 등의 콘텐츠 기획뿐만 아니라 모든 제품의 기획은 콘셉트를 잡는 것에서부터 시작된다. 이때 콘셉트는 아이디어 단계에서 한 걸음 나아가 그 아이디어가 구현될 결과물이 어떤 것인지를 명확하게 알 수 있는 형태로 표현한 것이다.

예를 들어 MBC 예능 프로그램 〈무한도전〉으로 책을 내겠다는 기획을 세웠다고 할 때, 〈무한도전〉으로 책을 만든다는 것은 아이디어의 범주에 속한다. 이 아이디어를 발전시켜 '무한도전의 10주년을 기념하여 무한도전이 만들어낸 B급 문화코드 7가지를 컬처리포트 형식으로 구성한 책'으로 구체화한 것이 바로 이 책의 콘셉트이다.

콘텐츠 기획자는 콘셉트를 통해 커뮤니케이션을 한다. 기획자는 창작자와 소비자 사이에서 줄타기를 하며 창작자의 콘텐츠를 소비자가 향유하고 싶어 하는 콘셉트로 풀어내고, 이를 제대로 구현할 수 있도록 실행 프로세스를 운영하는 역할을 맡아본다.

아이디어를 콘셉트로 만들면 기획자는 그 콘셉트를 창작자에게 제시하면서 창작자의 능력이 어떻게 콘텐츠에 구현될지를 설명하고 동의를 이끌어내야 한다. 다음으로 제작자와 투자자, 기술 스태프를 설득하여 프로젝트에 참여하도록 해야한다. 프로젝트가 시작되면 콘셉트의 톤과 매너가 결과물의 완성도로 나타나고, 이후 홍보나 마케팅을 할 때도 콘셉트를 중심으로 대중과 커뮤니케이션을 하게 된다.

즉 기획자가 만들어낸 콘셉트는 이후 프로젝트를 진행해 완성된 결과물을 도출할 때까지 모든 과정에 걸쳐 추진력을 뿜어내는 엔진으로서 기능한다.

콘셉트는 대개 짧은 문장의 카피로 표현할 수 있는데, 대표적인 것이 영화의 스토리 콘셉트를 한두 문장으로 축약한 로그라인log line이다. 영화 〈올드 보이〉의 로그라인은 '이유를 모른 채 15년간 감금되었던 남자가 자신을 가둔 자를 찾아내 복수하려 하나 정작 복수당해야 하는 것은 자기 자신이었음을 깨닫는다'라고 할 수 있다.

영화나 출판 분야의 콘텐츠 기획서를 작성할 때에는 작품의 콘셉트를 명확히 보여주는 몇 개의 문장이 투자자, 제작자 등 결정권자의 마음을 움직이며, 이성과 논리를 갖추는 것뿐만 아니라 감성과 공감을 불러일으키는 것 또한 중요하다는 사실을 명심해야 한다.

나는 〈콘셉트와 카피라이팅 노트〉를 보면서 광고에서 활용하는 콘셉트 도출 기법을 응용해 나름대로 콘셉트의 틀을 정리했다.

콘셉트와 카피

▶ **콘셉트란?**

- 자기가 가장 잘 아는 '나의 이야기'로부터 떠올린 제품(콘텐츠)에 대한 생각(아이디어)을 말/영상/공식 등으로 표현(건축)한 것이다.
- 좋은 콘셉트는 아이디어를 시각적으로 표현해야 한다.
- 좋은 콘셉트는 모든 사람의 의식에 공통적으로 내재해 있는 데이터베이스로부터 추출되기 때문에 두루 공감을 얻는다.
- 독특한 콘셉트는 나의 경험과 나만의 스토리에서 비롯된다.

- 아이디어가 콘셉트가 될 수는 있어도 콘셉트가 아이디어가 되는 것은 아니다(ex. 연산군은 아이디어, 폭정은 콘셉트).

- 콘셉트는 계획이 아니라 실행을 위한 전략이다.

- 콘셉트는 콘텐츠 전체를 지배하며, 유기적인 흐름을 만들어낸다.

- 좋은 콘셉트는 목소리를 크게 내서 주장하지 않는다.

- 좋은 콘셉트는 패러다임을 바꾼다.

▶ **사람의 마음을 움직이는 카피란?**

1. **충성도** 브랜드를 얼마나 신뢰하는가.

- 하나의 브랜드, 제품, 기업에 대해 마음 깊이 신뢰하는 것.

- 높은 충성도는 착시 현상을 일으켜 잘못된 것도 끝까지 믿게 만든다. 고객들의 충성도가 높은 것을 부정하면 저항이 강하다.

- 충성도가 높을 때 헤드라인은 논리적이지 않더라도 짧고 감각적으로 써라(코카콜라의 헤드라인은 브랜드를 강조하지 않으며 짧고 간결하다).

2. **관여도** 브랜드를 결정할 때 얼마나 고민하는가.

- 아파트를 살 때는 머리핀을 살 때보다 고민을 더 많이 한다. 즉

아파트 구입은 머리핀 구입에 비해 관여도가 높은 활동이다.

- 관여도는 조사를 따로 하지 않아도 가늠할 수 있는 것이므로 마케팅 전략을 세울 때 기준을 제시한다.

- 관여도가 높을수록 논리적으로, 사실 중심으로 정보를 많이 넣고 브랜드를 넣어라.

- 관여도가 낮을수록 브랜드를 감추고 즉물적인 카피를 사용해라.

3. **인지부조화** 내가 믿고 있던 것이 다른 것에 의해 방해를 받으면 신뢰에 금이 가고 혼돈이 싹튼다.

- 틀림없다고 믿었는데 믿음이 깨지게 만드는 마음의 변덕.

- 공격적인 마케팅을 할 때는 인지부조화를 일으키고('show' 광고), 수비적인 마케팅에서는 인지부조화를 최소화해라.

- 경쟁 상품이 많아 소비자가 인지부조화를 느낄 가능성이 높을 때는 논리적이고 설득력 있게 카피를 쓰고 브랜드를 꼭 넣어라.

- 경쟁 상품이 적고 인지부조화를 느낄 가능성이 낮을 때는 브랜드를 빼도 되며 감성, 아이디어, 단어 중심의 카피를 써라.

○

다빈치 노트의 콘셉트

○

이러한 콘셉트의 틀은 〈다빈치 노트〉에도 그대로 적용된다. 시작은 내가 오랜 시간 갈고닦아온 노트의 기술을 바탕으로 새로운 노트를 만들어보면 어떨까 하는 단순한 아이디어에서 비롯되었다. 이 아이디어를 발전시켜나가는 과정에서 창조적인 생각을 살리는 노트의 틀을 제시하고, 이러한 틀이 왜 필요한지에 대한 설명서(책)와 함께 노트를 제공한다는 콘셉트를 세웠다.

우리의 뇌에서 일어나는 여러 가지 인지 작용(기억 전략, 학습 전략 등)을 원활하게 하는 동시에 실제로 사용하기에도 편리한 노트를 만드는 것이 관건이었다. 수많은 논문과 자료를 바탕으로 로직을 짜는 한편 실제로 노트를 써온 경험자의 입장에서 사용자의 편의를 도모하려 노력하고, 시판 중인 노트들을 직접 써본 후 이미 검증된 노트의 레이아웃과 기능을 분석하고 종합하여 완성한 것이 바로 〈다빈치 노트〉이다.

콘셉트를 만들 때 고려해야 할 충성도, 관여도, 인지부조화에 대해서는 다음과 같이 판단했다. 충성도의 측면에서 볼 때 노트는 기존에 사용해온 브랜드를 선호하는 경향이 높다. 때문에 새로운 브랜드의 노트는 론칭한 후에도 소비자에게 인지되기까지 시간과 비용이 많이 든다. 또한 가격에 비해 관여도가 높기 때문에 소비자의 감성적인 판단보다는 논리적인 판단에 크게 영향을 받는다.

이 두 가지 요소를 고려한 끝에 나는 〈다빈치 노트〉의 기획 콘셉트를 정했다. 〈다빈치 노트〉는 문구가 아니라 책이 되어야 한다. 이 노트의 필요성과 기능성을 충분히 설명해주는 책(설명서)과 함께 묶어 론칭함으로써 문구류가 아닌 도서로 포지셔닝하는 쪽이 새로운 문구 브랜드를 론칭하는 것보다 나으며, 꾸준히 실용적인 책들을 출간해온 출판사의 브랜드 충성도를 활용하는 길이기도 하다는 게 내 판단이었다.

그러나 소비자들은 노트와 책은 다른 것이라는 생각을 갖고 있기 때문에 어느 정도 인지부조화에 의존할 필요가 있다. 이를 위해서는 노트와 책의 디자인에 통일성을 주고, 노트의 기능성에 초점을 맞추는 카피를 만들어 소비자로 하여금 일단 〈다빈치 노트〉를 손에 들고 펼쳐보고 써보도록 해야 한다. 단, 노트와 책을 패키지로 포장할 경우 가능하면 샘플 노트를 제공해 노트의 품질을 확인할 수 있게 하는 것이 필요하다.

인지부조화의 심리학적 의미

인지부조화는 1950년대에 미국의 심리학자 레온 페스팅어가 구체화한 개념이다. 이는 사람이 기존의 생각과 불일치하는 행동을 했을 때 이미 한 행동을 돌이킬 수는 없으니 오히려 생각과 태도를 변화시키려 하는 현상을 가리킨다. 예를 들어 아주 지루한 작업을 한 후에는 이미 그 행동을 했다는 사실을 돌이킬 수 없기 때문에 나름 재미있는 작업을 했다고 여기게 된다. 지구 멸망을 믿는 사람들이 멸망에 대비해 모든 것을 처분하는 행동을 한 뒤라면 멸망이 일어난다고 했던 디데이가 지나도 여전히 멸망에 대한 믿음을 유지하는 것 또한 인지부조화의 좋은 예이다. 소비자가 브랜드 광고를 보고 신뢰감을 느끼면 제품 구매 후에도 제품의 실제 성능과는 별개로 긍정적인 인상이 지속되기 때문에, 광고 콘셉트와 카피를 정할 때에는 인지부조화를 반드시 고려해야 한다.

자, 그렇다면 〈다빈치 노트〉의 레이아웃에는 어떤 콘셉트가 담겨 있을까? 〈다빈치 노트〉의 핵심 콘셉트는 노트를 활용하여 콘셉트 중심으로 생각하는 기술을 훈련한다는 것이다. 앞에서 이야기했던 기억 전략 중 조직화와 정교화는 노트 정리의 기술을 활용해 훈련할 수 있는 부분이다. 도니 부잔은 사용자의 집중력을 높이고 시각적 정보 처리 과정과 조직적인 정보 간의 균형 있는 결합을 추구하는 〈마인드맵 노트법〉을 깨발하면서 패턴이 있는 노트를 사용하는 습관이 뇌의 기능을 향상시킨다고 했다. 심리학자 카우프만도 공간을 특정 영역으로 구분하는 레이아웃을 적용한 노트를 사용하는 것이 자유 노트를 사용하는 경우보다 작업 성취도가 높다고 했다. 이에 〈다빈치 노트〉의 레이아웃은 성취도와 노트 필기의 상관관계 분석을 토대로 구조화되었다.

성취도를 높이는 〈다빈치 노트〉 필기 전략

1. 먼저 제목을 쓴다. 필기하려는 내용의 주제와 목적이 명확해야 집중력이 높아진다.

2. 소제목을 활용한다. 정보의 우선순위를 파악해 중심 생각과 보조 생각을 구별하여 뇌의 조직화를 활성화한다.

3. 간단한 그림이나 그래프, 약어, 기호를 활용해 노트를 시각화함으로써 우뇌와 좌뇌의 협응을 촉진한다.

4. 노트의 여백에는 정보를 자신의 언어로 바꾸어 요약하거나 자

신의 생각을 기록하여 비판적 사고력을 키운다.

5. 감정을 비롯한 정서적 상황이나 필기 당시의 주위 환경을 기록
   해두면 추후 복기하거나 응용할 때 작업 기억의 효율성을 높일
   수 있다.

창조성의 대가들이 남긴 노트에 대해서는 이미 많은 연구가
이루어져왔다. 학습 전략이나 교육론적 측면에서 노트 쓰기와
학업 성취도 또는 창조성의 상관관계를 고찰한 연구들 또한
적지 않다. 이러한 전문가들의 연구와 더불어 내가 만든 세 권
의 노트를 분석하면서 나는 〈다빈치 노트〉의 틀을 구상했다.

첫째 〈학습 전략 노트〉에서는 동기를 북돋우고 자기 효능감
을 높이는 전략 도구로서 노트의 중요성을 발견했다. 둘째 〈시
나리오 강의 노트〉는 감정 언어를 통해 기억 복원력을 높이고
통찰을 이끌어내는 창조적 도구로 노트를 활용하는 기술을
제시해주었다. 셋째 〈콘셉트와 카피라이팅 노트〉는 기획력을
높이는 콘셉트 중심의 패턴적 사고를 하는 데 노트가 어떤 방
식으로 도움을 줄 수 있는지 보여주었다.

〈다빈치 노트〉는 창조적인 아이디어를 낳는 마법의 공책 같

은 게 아니다. 이는 우리가 전략적이고 패턴적으로 사고할 수 있도록 돕는 생각의 기술이자 아이디어를 키우는 인큐베이터이다.

　낙숫물이 섬돌을 뚫는다는 속담이 있다. 끊임없이 일정하게 노력을 지속한다면 한 번의 시도로는 결코 이룰 수 없는 것을 성취할 수 있다는 뜻이다. 어려운 시험을 앞두고 있는 사람에게도, 기발한 아이디가 필요한 사람에게도, 연구를 하는 사람에게도 노트는 자신의 길을 만들기 위해 필요한 굴착기가 될 수 있다. 어떤 길을 만들지는 오로지 당신에게 달려 있다.

3부
창조성을 극대화하는 노트법

물고기를 잡는 방법

○

노는 인간과 세렌디피티

○

『탈무드』에는 "물고기를 잡아 주면 한 끼를 해결할 수 있지만, 물고기 잡는 법을 가르쳐주면 평생 끼니를 해결할 수 있다"라는 말이 나온다. 여기서 말하는 '물고기 잡는 법'이 지금까지 이 책에서 이야기한 평생 써먹을 수 있는 기술에 해당한다고 볼 수 있다. 그런데 이 말에는 또 한 가지 중요한 사실이 숨겨져 있다. 바로 스스로 물고기를 잡아 먹는 편이 남이 잡아 준 물고기를 먹는 것보다 훨씬 즐겁고 재미있고 맛있다는 점이다.

요한 하위징아는 저서 『호모 루덴스(유희하는 인간)』에서 놀이야말로 인간 생활의 가장 중요한 요소라고 주장했다. 그는 정해진 규칙을 자발적으로 따르면서 완벽하게 몰입한 상태로 긴장 속에서 즐거움을 얻는 것을 놀이라고 규정했으며, 규칙을 다루는 놀이를 통해 법과 지식, 과학, 전쟁, 예술 등의 문화적 창조가 발생한다고 강조했다.

페니실린을 발견한 알렉산더 플레밍은 장난꾸러기 기질이 다분한 사람이었다. 그는 자신의 일을 놀이로 삼곤 했는데, 동료들조차도 게임하듯 신이 나서 연구에 몰두한 플레밍을 보고 내심 부러워했다고 한다. 일상생활에서도 스포츠와 게임을 즐기곤 했던 그는 게임의 규칙에 익숙해지고 나면 그 규칙을 깨뜨리고 변형시켜 게임을 어렵게 만드는 데에서 즐거움을 느꼈다.

플레밍은 처음부터 페니실린을 만들 목적으로 실험을 한 것이 아니었다. 미생물을 가지고 놀다가 규칙을 깨뜨리는 과정에서(정확히 말하면 병뚜껑을 열어놓고 다니는 바람에) 세균의 감염을 막는 페니실린을 우연히 발견한 것이다. 이처럼 규칙을 다루며 놀다가 우연히 역사적 발견을 하게 되는 창조 사례를 세렌디피티 serendipity 경험이라고 부른다.

세렌디피티를 경험한 사람들의 공통점은 획일적인 일상에 안주하지 않고 우연이 더 자주 발생할 수 있는 환경을 만들려

한다는 것이다. 그들은 일이라서 마지못해 하는 것이 아니라 자신의 즐거움을 위해서 일을 하고, 즐거움의 대상에 내민 몰입을 통해 새로운 사실을 발견하는 행운을 누린다. 그들에게 행운은 복권 당첨 번호를 확인한 순간 끝나는 것이 아니다.

새로운 발견을 한 순간부터 그들에게는 또 하나의 게임이 시작된다. 물론 그 게임의 규칙은 이미 알고 있던 것과 다르고 제아무리 숙련된 사람이라 해도 풀기 어려운 난제일 수도 있다. 하지만 일단 게임이 시작되면 그들은 이를 끈질기게 붙들고 앉아 몰입한다. 플레밍이 남긴 말에는 세렌디피티를 대하는 과학자들의 태도가 잘 드러나 있다.

"나는 페니실린을 발명한 것이 아니다. 페니실린을 만든 것은 자연이며, 나는 그저 우연히 그것을 발견했을 따름이다. 다만 내가 기여한 바는 그것을 발견했을 때 무심히 지나치지 않고 세균학자로서 집요하게 물고 늘어졌던 것뿐이다."

놀이는 과학자들의 창조적인 발견에만 기여한 것이 아니다. 놀이는 인류의 생존을 위한 지식과 기술의 전수 도구이기도 했다. 인간이 농경 정착 생활을 시작한 것은 불과 1만 년 전의 일이다. 초기 인류가 등장하고부터 호모 사피엔스라고 불리는 현생 인류가 나타나기까지 수백만 년 동안 인간은 수렵과 채집으로 생존을 이어나갔다.

당시의 인류가 생존을 위해 터득한 수렵과 채집 기술을 후대에 전수했던 방법이 바로 놀이이다. 물고기를 잡는 것은 식량을 얻기 위한 생존 방법의 하나였고 어른들은 아이들이 물고기를 잡으며 놀게 함으로써 자연스럽게 생존 기술을 터득하도록 했다. 놀이는 '장난치며 노는' 과정에서 기술을 훈련하게끔 해주는 동시에 기술을 응용하고 발전시키도록 장려한다.

재미 이론의 창시자 라프 코스터는 놀이의 규칙, 즉 패턴을 인식하고 놀라움을 경험할 때 우리 뇌에서 도파민이 생성되어 즐거움을 느낀다고 했다. 압박이 없는 환경에서 자발적으로 패턴을 학습하고 적절한 기술을 활용해 참신한 방법으로 도전 과제를 정복하는 데에서 순수한 재미를 맛볼 수 있다는 것이다.

그가 말하는 재미는 칙센트미하이의 몰입이 주는 즐거움과 아주 유사하다. 몰입 이론에서도 규칙이 명확하고 어느 정도 난이도가 있으며 훈련을 통해 숙달될 수 있는 활동을 할 때 몰입이 일어난다고 한다. 흥미나 즐거움, 자부심과 같은 긍정적인 정서가 창조적 생산성을 높일 뿐 아니라 겉으로 보기에

서로 무관한 현상들을 연결시키는 유추와 통찰력을 키워 창의적 사고를 가능케 한다는 사실도 잘 알려져 있다.

또한 놀이를 할 때 우리는 성공과 실패에 연연하지 않고 결과에 대해 책임질 필요가 없으며 성과를 내야 한다는 부담감도 느끼지 않기 때문에, 그저 놀이의 규칙을 잘 지키며 재미있게 노는 일에 집중하다 보면 같은 행동을 오랫동안 지속적으로 반복할 수 있다. 물고기를 잡는 것, 즉 낚시가 단순한 생존 기술의 영역을 넘어서 수많은 사람들이 즐기는 취미이자 문화가 된 것도 애초에 그것이 놀이의 하나였기 때문이다.

노트 역시 마찬가지다. 그저 노트를 쓰는 기술을 알았다고 해서 창조적 생산성이 늘어나는 것은 아니다. 노트를 가지고 놀면서 노트의 틀을 익히고 남부럽지 않게 잘 써먹을 수 있게 된 후에야 비로소 노트를 활용해 자신의 아이디어를 포착하고 확장하고 개선하며 발전시킬 수 있다.

이제부터 우리는 창조성을 극대화하는 노트 사용법을 차근차근 알아볼 것이다. 노트의 고수들 역시 노트의 틀 익히기, 노트 가지고 놀기, 노트 응용하기라는 3단계를 거친 후에야 자신만의 노트법을 확립하고 평생을 노트와 더불어 재미나게 놀 수 있었다.

노트의 틀 익히기

○

메모와 노트의 차이

○

우리가 노트와 유사한 개념으로 사용하는 말 가운데 하나가 메모이다. 노트와 메모는 금세 사라지는 정보를 기억하기 위해 기록한다는 점에서 목적을 같이하나 방법적인 면에서 뚜렷한 차이를 보인다.

누군가에게 노트를 전달받는 상황과 메모를 전달받는 상황을 비교해보자. 확실히 느낌이 다를 것이다. 메모가 한두 장의 쪽지에 짤막한 내용을 적은 것이라면 노트는 수십 쪽에 달하는 많은 양의 기록을 책처럼 묶어놓은 것이다. 메모의 최소 단위는 한 장이고 노트의 최소 단위는 한 권이다. 이 양적인 차이가 노트의 틀을 만드는 데 중요한 기준이 된다.

노트의 기본적인 기능은 객관적 정보와 주관적 생각을 기록하는 것이다. 학습, 업무, 아이디어 창출 등 어떤 용도로 쓰건 간에 아무 정보가 담겨 있지 않은 노트나 생각을 기록하지 않은 노트는 창조성을 높이는 데 별 도움이 되지 않는다. 창조성은 아이디어의 가지를 펼쳐놓고 다른 가지와 더해 새로운 아이디어로 발전시켜나가는 확산적 사고와, 분석과 평가 및 개선을 통해 아이디어를 정제하고 다듬은 후 이를 결과물로 이어지게 하는 수렴적 사고의 균형에서 나온다. 그 균형을 유지하는 구성 요소가 바로 정보와 생각이다. 노트는 정보와 생각을 체계화하여 정리해놓은 창조적 사고의 도서관인 셈이다.

수북하게 모아놓은 메모들과 한 권으로 묶여 있는 노트에 담긴 시간의 형태를 비교해보자. 낱장의 메모에 기록된 글자들은 분절된 시간을 뜻하고, 한 장씩 넘어가며 순차적으로 쓰인 노트의 기록은 연속적 시간선상에 놓여 있다. 노트의 연속된 시간에는 시작과 끝, 전후 관계, 원인과 결과, 발상과 수정 과정, 논리 구조가 담겨 있다. 잘 정리된 노트를 볼 때면 필기를 하던 당시에 중요하게 여겼던 정보와 생각이 되살아난다. 그러나 제대로 정리되지 않은 노트를 보면 순서 없이 쌓아둔 메모를 볼 때와 별 차이가 없다. 정보와 생각이 뒤엉켜 형광펜이나 별표로 강조해놓은 부분이 자신의 생각인지 중요한 정보인지를 구별하기도 쉽지 않다.

10년 전에 자신이 사용했던 노트를 들춰보면 물음표와 함께 적어놓은 궁금증이나 의문은 자신의 생각을 적은 것임에 분명하나, 그 답을 어떻게 찾아냈고 어떤 결론이나 결과에 이르렀는지는 좀처럼 파악하기 어렵다. 그렇기에 노트의 틀이 필요한 것이다.

○

생각을 정리하는 노트의 틀

○

노트의 틀은 노트라는 평면 공간 위에 가구를 배치하듯 생각과 정보를 규칙에 맞게 정리하기 위한 것이다. 우리는 낯선 집에 가더라도 침대가 있는 곳은 안방이고 책상이 있는 곳은 공부방이라는 사실을 금방 알아차린다. 노트를 쓸 때도 같은 규칙, 다시 말해 같은 틀을 꾸준히 사용한다면 오래전에 썼던 노트를 보고도 현재의 내가 노트를 사용하는 방식에 따라 정보와 생각을 가려낼 수 있다.

같은 틀을 오래 이용함으로써 얻을 수 있는 결정적인 장점은 미처 덜 쓴 노트의 여백을 앞에 두었을 때 빛을 발한다. 완결되지 않고 여백으로 남은 페이지를 대하더라도 자신의 생각이 어디에서 끊어졌는지를 금방 알 수 있기 때문에 얼마쯤 시간이 지났다 한들 펜이 멈춘 그때로 돌아가 사고를 이어갈 수 있다. 노트의 틀이 우리의 분절된 사고를 이어주는 커넥터 역할을 하는 것이다.

노트는 생각을 정리하는 효율적인 도구이다. 대부분의 사람들은 무질서하게 떠오르는 생각과 너무 많은 정보에 치여 복잡한 머릿속을 정리하지 못해 고민에 빠지곤 한다. 특히 많은 사람들이 참석하는 회의는 수많은 아이디어를 허공에 날려버리는 아이디어 소실의 장이다. 회의를 하다 보면 남의 말을 툭 자르고 자기 말만 하는 사람들이 있게 마련이다. 그들 가운데에는 경청이라는 것을 아예 모르는 사람들도 분명 있겠지만, 상당수의 사람들이 남의 의견을 듣는 도중에 자기 생각을 잊어버릴까 봐 급한 마음에 그러는 경우가 많다.

특정 유형의 사람들만이 그러는 것이 아니다. 인간 뇌의 작업 기억에는 7개 내외의 정보만을 처리할 수 있다는 용량적 한계가 있기 때문이다. 또한 남들 앞에서 의견을 말하거나 남을 설득하는 데 소극적인 사람, 자기 생각을 설명하는 데 서투른 사람은 회의 도중 발언 기회를 거의 얻지 못한다. 여러 사람이 같은 시간을 소비하면서 결국 참석자 머릿수만큼의 아이디어도 내지 못하고 끝나버리는 회의가 비일비재하다. 오죽하면 회의가 회사를 망친다는 말이 있을까.

이처럼 비효율적인 회의 방식을 개선하기 위해 토르바흐는 침묵의 브레인스토밍, 말이 아닌 글로 자신의 생각을 기록하고 다른 사람과 교환하여 그에 대한 서로의 생각을 덧붙여 적는 방식의 브레인라이팅 Brain-writing 을 창안했다.

이 방식을 채택하면 회의에 참석한 모든 사람들이 각자 의견을 적어 공유하기 때문에 시간 대비 양적 효과가 탁월하다 (브레인스토밍도 브레인라이팅도 아이디어의 양과 개수가 질보다 더 중요하다고 보는 점은 동일하다). 또한 아이디어를 글로 표현함으로써 말보다 더 정확하게 의미를 전달할 수 있기 때문에 다른 사람의 의견을 적은 것을 읽고 자기의 생각과 결합시키기에도 용이하다.

이때 틀이 잡혀 있는 노트를 활용하면 자유 노트를 사용하는 경우에 비해 더 높은 성취를 얻을 수 있다. 심리학자 카우프만은 특정 영역들로 구분된 노트를 사용하면 기억 전략 중 조직화와 정교화가 활성되어 보다 효과적으로 생각을 구조화할 수 있다는 것을 밝혀냈다. 집을 지을 때 마구잡이로 벽돌을 쌓는 것이 아니라 철골 구조를 먼저 세우듯이, 노트의 틀은 아이디어가 견고하게 뻗어 올라갈 수 있는 뼈대가 된다.

창조성을 극대화하는 노트의 틀이란 구체적으로 어떤 것일까. 가장 널리 알려진 예로는 〈코넬 노트법〉을 들 수 있다. 이 노트법의 핵심은 키워드이다. 〈코넬 노트법〉은 강의를 들으며 필기하는 작업에 최적화되어 있는데, 정해진 시간 동안 주제와 관련된 많은 정보를 빠르게 기록하고 자신의 생각을 정리하는 데 유리하다.

〈코넬 노트법〉 외에도 행의 들여쓰기 간격이나 문단 번호를 활용해 선형으로 정리하는 논문 형식의 〈아우트라인 노트법〉, 표를 그려 1행(맨 위 가로줄)에는 주제, 1열(좌측 첫 번째 세로줄)에는 부주제를 적고, 열과 행이 교차하는 빈칸에 내용을 적는 〈매트릭스 노트법〉 등이 있다. 이러한 방식의 노트는 대개 학습을 위한 필기에 많이 사용되며, 기존의 유선 노트나 무선 노트와 같은 자유 노트를 사용할 때보다 학습 성취도가 더 높게 나타난다는 연구 결과가 나와 있다.

이보다 조금 더 창의적인 아이디어를 도출하기 위한 방식으로는 토니 부잔의 〈마인드맵 노트법〉이 있다. 마인드맵은 사용자의 집중력을 높여주고 정보의 시각화와 조직화를 균형 있게 결합시키며, 노트의 패턴화를 통해 뇌의 고차원적 사고 기능을 향상시킨다.

브레인스토밍과 마인드맵의 차이

브레인스토밍과 마인드맵은 하나의 주제에 대해 자유롭게 아이디어를 발산한다는 점에서 서로 비슷해 보이지만 실은 뚜렷한 차이가 있다.

브레인스토밍은 아이디어들 간의 관련성을 무시하고 단편적으로 정보를 나열하는 방식을 취한다. 이때 무엇보다도 중요한 점은 무작위로 가능한 많은 양의 아이디어를 뽑아내는 것이다.

반면에 마인드맵은 중심이 되는 키워드에서 뻗어나간 굵은 가지의 상위 개념에 부합하는 방향으로 사고를 확산하는 것이 중요하다. 즉 상위 개념과 하위 개념의 구조로 아이디어를 세분화하는 것이다.

브레인스토밍과 달리 마인드맵은 아이디어의 분류와 범주화가
그 핵심이라고 할 수 있다.

○

다빈치 노트의 4영역

○

그렇다면 이미 알려져 있는 여러 노트들과 〈다빈치 노트〉에
는 어떤 차이가 있을까? 한마디로 말하자면 〈다빈치 노트〉의
핵심은 하나의 주제에 대한 정보와 아이디어를 구분하고 그
주제에 대한 자신의 중심 생각을 정리, 요약할 수 있는 틀을
제공한다는 것이다. 이 틀은 4개의 영역으로 구분된다.

다빈치 노트의 4영역

- 제목
- 정보
- 자기 생각
- 핵심 요약

제목, 소제목

자기 생각 및 의문
(보충 설명)

정보

핵심 요약

정보

콘셉트와 카피

사람의 마음을 사로잡는 콘셉트의 세 가지 축

• 콘셉트란?

모든 사람의 의식에 있는
공통의 DB에서 추출된
공감 가능 Idea

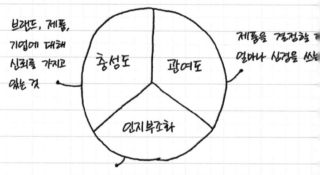

나의 이야기 ⇒ 콘텐츠 아이디어 ↗↘ 표현 망상 공식 ⇒ 공감을 얻는다.

＊좋은 콘셉트는 큰
목소리로 주제를 떠들지
않아도 패러다임을
바꾼다.

- 시각적으로 보여지는 아이디어
- 콘텐츠 전체를 지배하며 유기적인 흐름을 만든다.
- 계획이 아니라 실행을 위한 전략

• 마음을 움직이는 카피란?

＊공격적인 마케팅을
할 때는 인지부조화를
극대화하고, 수비적인
마케팅은 최소화한다.

브랜드, 제품,
기업에 대해
신뢰를 가지고
있는 것

충성도   광여도

인지부조화

제품을 결정할 때
얼마나 신경을 쓰는

믿고 있던 것이 혼란스러워지는 마음의 변덕.

- 충성도가 높으면 브랜드를 강조하지 않고 논리적이지 않더라도
짧고 감각적인 카피. 재미있소 ↑

- 광여도가 높으면 팩트를 중심으로 논리적이고 정보를 강조하는 카피

＊ 마케팅은 충성도를 확보하기 위한 전쟁!

인간의 마음은 끊임없이 들끓기 때문에 '콘셉트'는 마음과의 심리전이다.
충성도, 관여도, 인지부조화 세 축으로 콘텐츠의 속성을 분석하고 콘셉트와 커뮤니케이션
전략을 세울 것 → 마음은 합리적이지 않기 때문에 스토리텔링에 약하다!

관여도가 낮으면 브랜드를 감추고 즉각적인 카피
인지부조화가 클 때는 브랜드를 강조하며 논리적이고 설득력 있는 카피
인지부조화가 낮을 때는 브랜드를 감추고 감성 / 아이디어 중심의 카피

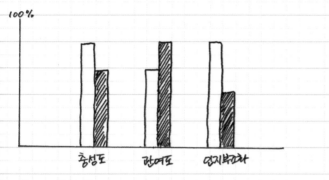

* 아파트, 첫 차
충성도↑, 관여도↑,
인지부조화↓

세 축의 비율을 분석해서 높은 비율을 차지하는 요소에 맞춰
콘셉트를 잡는다.

ex) 코카콜라 · 충성도↑ 관여도↓ 인지부조화↓

  LG 인터넷 세탁기 : 충성도↑ 관여도↑ 인지부조화↑

음에서 브랜드나 제품을 수용할 수 있는 정도

```
┌─────────────────────┐
│ Consideration Set   │
└─────────────────────┘
   충성도   관여도   인지부조화
```

인간의 마음에는 장여가 없어서 믿을 수 없다.   · 베트남 여행
베트남 대신 태국이나 필리핀으로 가도 된다.   ⇒ (충성도↓, 관여도↑, 인지부조화↑)
스위스는 평생 꼭 한 번은 가봐야 한다."   · 스위스 여행
                                              (충성도↑, 관여도↑, 인지부조화↓)

〈다빈치 노트〉의 틀은 기존의 다양한 노트 관련 연구와 그동안 써왔던 나의 노트들을 분석한 결과에 바탕해 개발한 것이다. 각 노트의 어떤 부분에 주안점을 두었는지 구체적으로 살펴보자.

먼저 〈마인드맵 노트〉에서 주목한 부분은 각 과목의 한 단원을 하나의 마인드맵으로 그렸다는 점이다. 〈마인드맵 노트〉는 해당 주제의 주요 키워드를 중심으로 전체 내용을 한눈에 알아볼 수 있도록 시각적으로 정리하는 것이 핵심이다. 많은 내용을 하나의 마인드맵에 압축해 넣는 것은 고도의 집중력을 필요로 하는 일이며, 해당 단원의 내용을 충분히 숙지한 후에야 가능하다. 중앙에 키워드를 적고 자유자재로 가지를 뻗어나가는 형태로 마인드맵을 그리는 것이 쉬워 보일지 모르겠으나, 구글에서 'mindmap'을 검색하면 튀어나오는 멋진 이미지들은 자유로운 연상만으로 그린 것이 아니다. 중앙의 키워드에서 뻗어 나갈 굵은 가지가 몇 개인지, 각각의 굵은 가지에서 갈라져 나갈 잔가지의 수와 그에 포함될 내용에는 무엇이 있는지 등을 미리 염두에 두지 않으면 보기 좋게 균형 잡힌 한 장의 마인드맵을 완성하기가 어렵다.

〈다빈치 노트〉가 목표하는 바 또한 마인드맵과 같다. 하나의 펼침면 내에서 하나의 주제에 대한 정보와 생각을 정리하는 것이다. 달리 비유하자면 펼쳐진 노트의 양면을 하나의 캔버스로 삼아 큰 그림을 완성하는 것이라고도 할 수 있겠다. 다만 이때 노트의 모든 페이지를 완성된 '작품'으로만 꽉 채우겠다는 욕심은 버려야 한다. 아인슈타인의 노트처럼 관심이 가는 주제에 대한 정보와 생각을 부담 없이 자유롭게 노트에 기록한 후에 그 내용을 바탕으로 하나의 틀 안에 정리하는 것이 중요하다.

펼침면 양쪽에 자리 잡은 틀 안에 정리된 내용을 보면 전체 흐름을 한눈에 조망할 수 있다. 해당 내용이 적혀 있는 위치만으로도 정보인지 자신의 생각인지를 구분할 수 있고, 핵심 내용도 단번에 파악할 수 있다.

사람들이 노트를 쓰는 가장 큰 이유는 노트 쓰기가 우리의 기억을 보조하여 많은 정보와 생각을 다룰 수 있도록 해주기 때문이다. 작업 기억의 장기 기억화는 쓰는 행동을 통해서 촉진되지만, 반복적으로 보는 행동을 통해 강화된다. 그렇기에 노트는 쓰는 것에 그치지 않고 다시 보는 것으로 이어져야 한다. 일정한 틀 안에 통일성 있게 정리된 노트를 보면 사진이나 그림을 대하듯 이미지의 형태로 내용을 기억하게 되고 한꺼번에 많은 분량을 살펴볼 수도 있다.

○

제목을 달아라

○

〈시나리오 강의 노트〉에서 내가 주목한 것은 주제를 분명히 드러내는 제목과, 정보 및 자신의 생각을 구분해놓은 방식이다. 제목은 낙서와 노트를 구분하는 중요한 기준이다. 제목 없이 내용만 나열되어 있다면 노트에 정리한 내용이 어디서부터 시작해 어디서 끝나는지를 파악하기가 어렵다. 또한 시간이 지난 후에 다시 펼쳐 들었을 때 어떤 목적으로 썼던 노트인지 단번에 알 수 없어 불편하다.

제목을 쓰면 그 페이지에 쓸 내용의 주제와 목적이 명확해지기 때문에 집중력이 높아진다. 제목은 간단하게 적고 제목 아래에 부제 형태로 목적이나 주제를 한 문장 정도로 풀어 써두면 이후 차례를 만들 때에도 효과적이다. 아울러 각 페이지

상단의 제목과 부제 외에 소제목을 활용해 필기를 하면 전체적으로 반복되는 단어나 문장을 생략해도 맥락을 알 수 있다.

예를 들어 시나리오 창작에 관한 강의를 듣던 중에 강사가 이런 말을 했다고 해보자. "시놉시스는 감성에 관련된 문서다. 시놉시스는 일부만 보아도 전체를 짐작할 수 있다. 시놉시스에서 작가가 최선을 다했다는 기운이 느껴져야 시나리오를, 영화를 보고 싶어진다." 이 내용은 아래와 같이 정리할 수 있다. 큰 차이가 없는 듯하지만 필기할 내용이 많을 때에는 반복되는 단어를 생략하는 것만으로도 필기 속도가 빨라져 피로감을 덜어주는 효과가 있다.

시놉시스의 특징

- 감성에 관련된 문서
- 일부로 전체를 짐작할 수 있게
- 최선의 기운이 느껴져야 시나리오, 영화를 보고 싶어진다

정보와 생각을 구별하라

노트를 쓸 때 가장 중요한 것은 정보와 자신의 생각을 명확하게 구분해야 한다는 점이다. 그러기 위해서는 정보나 설명과 자기 생각, 의견, 의문점, 호기심 등을 맨 처음 노트를 쓰는 시점에 분리해 기록할 필요가 있다. 이는 어느 정도 훈련을 필요로 하며 노트를 사용하는 많은 사람들이 가장 어려워하는 부분이기도 하다. 사실 정보와 생각을 구분할 수 있게 해주는 것만으로도 노트는 제 역할을 충분히 해냈다고 할 수 있다.

〈다빈치 노트〉의 틀은 정보를 적는 영역과 자신의 생각이나 의문, 보충 설명 등을 적는 영역을 시각적으로 구분해 누구나 알아볼 수 있도록 짜여 있다. 레오나르도 다빈치는 노트를 쓸 때 핵심 아이디어를 그림으로 그리고 그림 주변의 여백에 자신의 생각을 깨알 같은 글씨로 적어놓았다. 노트의 달인들은 여백을 활용하는 방법을 잘 안다. 하지만 여백에 덜 익숙한 사람들을 위해 〈다빈치 노트〉는 펼침면을 기준으로 가운데 모눈이 그려진 구역을 정보 영역으로, 이를 둘러싸고 있는 여백을 자기 생각과 의문(보충 설명)을 적는 영역으로 나누었다.

마인드맵이 가지 뻗기라는 간단한 규칙으로 이루어져 있듯이 〈다빈치 노트〉의 레이아웃도 복잡하지 않다. 〈다빈치 노트〉는 정보 영역과 자기 생각 영역의 면적 비율이 1:1에 가깝다. 중앙에 정보를 적은 후, 정보 영역에서 뻗어 나온 가지 끝에 자신의 생각을 적는 방식이다.

○

컬러는 규칙이다

○

여기에다가 필기구의 색상에 규칙을 부여해 활용하는 방법을 접목해보자. 예컨대 정보 영역은 검정색 펜으로 쓰고 자기 생각 및 보충 설명 영역은 파란색 펜, 그리고 핵심 요약 영역은 빨간색 펜을 사용해 필기한다면 노트 내용을 시각화하는 데 훨씬 효과적일 수 있다.

실베스터는 우리 뇌 면적의 15퍼센트 이상이 시각 정보 처리 과정에 기여하기 때문에 색상에 규칙을 정해놓으면 특정 정보를 구분하는 데 용이하며 기억력이 향상된다고 했다. 또한 영역별로 규칙을 부여하고 가지를 뻗어 연결시키는 것은 사고의 방향을 제시하고 조직화하는 효과가 있어 연합 등의 창조적인 사고를 촉진한다.

일반적으로 노트에 사용할 색상으로는 검정, 파랑, 빨강 세 가지 혹은 여기에 초록을 더한 네 가지 정도가 적당하다. 제목, 정보, 자기 생각 및 보충 설명, 핵심 요약 영역을 각각 어떠어떠한 색으로 필기한다는 규칙을 스스로 정하는 것이다. 이 규칙은 개인의 취향에 따라 자유롭게 활용할 수 있으나 한 번 정한 규칙은 장기간 지속적으로 유지하는 편이 좋다. 만약 기존의 색상 규칙이 단조롭게 느껴져 바꿔보고 싶다면 새로운 규칙을 적용할 노트의 제목 영역에 각각의 색상이 지정하는 영역을 간략하게 메모해두는 것이 유용하다.

○

감성 언어로 요약하라

○

〈콘셉트와 카피라이팅 노트〉에서 내가 가장 주목한 부분은 자신의 생각을 명확한 콘셉트로 만들어 확실하게 전달할 수 있어야 한다는 점이다. 한 줄의 카피를 쓰기 위해서는 해당 콘텐츠의 내용을 꿰뚫고 있어야 하며 핵심 내용이 무엇인지 파악해야 한다. 〈다빈치 노트〉의 핵심 요약 영역은 이제껏 노트에 정리한 내용들을 반복해서 검토하고 종합하면서 왜 이 주제를 다루는지에 대해 충분히 고민한 후 가장 공들여 적어야 하는 공간이다.

· 핵심 요약은 자신만의 어투를 살려서 쓰는 것이 좋다. 사실을 재확인하거나 중요한 정보를 한 번 더 요약하는 경우도 있지만 자신의 느낌이나 생각, 판단을 적는 것이 더 중요하다. 간결하고 압축적인 문장을 쓰려고 노력하기보다는 형용사나 부사, 감탄사 등을 생략하지 않고 구어체로 쓰는 것이 효과적이다. 감정적인 표현이나 개성이 묻어나는 표현일수록 좋다. 자신만의 어투로 쓰는 것이 힘들다면 적어도 서술어가 들어간 완성형의 문장으로 쓰도록 하자. 서술어와 형용사, 부사, 감탄사 등은 시간이 흐른 뒤에 노트를 들여다봤을 때 왜 이 내용을 노트에 기록한 것인지, 이 페이지에서는 무엇이 중요한지를 파악하는 결정적인 단서가 된다.

또한 이와 같은 요약 작업이 중요한 것은, 정보와 자신의 생각 사이의 관계를 이해하고 자신의 언어로 다시 써보는 과정 자체가 기억 전략인 정교화와 조직화를 활성화하여 고차원적인 인지 작용을 일으킴으로써 핵심 내용을 장기 기억으로 보존할 수 있게 해주기 때문이다.

미네소타 대학의 학습 기술 연구소에서는 학생들의 학업 성취도 향상을 위한 노트 필기 프로그램을 운영하는데 기본적으로 다음과 같은 과정을 따른다. 먼저 핵심이 되는 내용과 우선순위가 떨어지는 내용을 구분하고, 핵심 내용을 요약해 적도록 한다. 그리고 전체 내용을 총괄적으로 살피며 자신의 언어로 다시 표현하는 훈련에 집중하도록 하는 것이다. 핵심을 파악해 짧은 문장으로 요약하는 작업은 기억력뿐만 아니라 전체 내용을 이해하려는 집중력, 남길 것과 덜어낼 것을 판단하는 사고력까지 향상시킨다.

이상으로 〈다빈치 노트〉의 틀을 이루는 각 영역의 역할과 사용법을 모두 살펴보았다. 이렇게 하나의 주제에 대한 펼침면 공간을 완성하고 나면 마지막으로 해당 페이지의 제목과 쪽 번호를 노트 맨 앞에 있는 차례에 적는다. 책과 달리 〈다빈치 노트〉는 다양한 주제들을 다루게 될 터이니 차례의 번호에 연연할 필요는 없다. 다만 차례의 제목만 보아도 어떤 내용인지 알 수 있도록 되도록 정확하고 명료하게 제목을 다는 것이 좋다.

〈다빈치 노트〉는 컬러와 이미지를 활용해 정보와 생각, 핵심 내용을 시각화하도록 권장하고, 고유한 영역 분할을 통해 사용자의 머릿속에 들어 있는 아이디어를 마치 한 장의 지도로 표현하는 듯한 경험을 하도록 유도한다. 시각화와 지도화 단계를 거쳐 핵심 요약에 다다르는 과정은, 우뇌가 인식한 시각적 이미지 형태의 정보를 좌뇌에서 논리적으로 구조화하면서 창조적인 사고로까지 이어질 수 있도록 돕는 데 초점이 맞추어져 있다. 양쪽 뇌를 적극적으로 활용함으로써 사용자는 기존에 저장되어 있던 지식이나 아이디어를 보다 쉽게 떠올리고 연합을 통해 새로운 아이디어를 도출해낼 수도 있다.

〈다빈치 노트〉의 기본 사용법

1. 노트의 펼침면 양쪽을 기준으로 하나의 틀을 완성하라.

2. 제목과 부제, 소제목을 활용하라.

3. 정보와 자신의 생각을 구분하기 위해 영역의 규칙(지도화)과 색상의 규칙(시각화)을 활용하라.

4. 핵심 요약은 자신의 개성이 드러난 감성 언어로 적어라.

5. 차례를 작성하라.

강아지 하우스 만들기

책장 + 강아지 하우스 목공 작업 계획

■ 강아지 원목 하우스 제작 여건

    〈강아지에 대한 고려〉

    - 집에 들어가 있을 때 식구들을 볼 수 있는 위치

    - 천장 필요

    - 엎드리거나 옆으로 누웠을 때 충분한 공간

    〈원목 하우스 배치 여건〉

    - 방과 거실을 한눈에 볼 수 있는 위치

    - 원목 하우스가 차지하는 공간 최소화

    - 기존의 가구 (책장) 공간 확보

        [책장 고려 요소]

         - 최대한 많은 책이 들어가야 한다.

         - 기존의 책장과 어울려야 한다.

책장과 결합한
형태의
원목 하우스

+

정면에서 봤을 때
벽난로와 같은
느낌의 디자인

■ 사이즈 및 재료

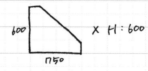

    600 ⌐ × H : 1500

         (240 × 6칸)

    600 / × H : 600

      1750

■ 조립 방식

    - 원목 하우스 : 피스 조립 (30mm 피스)

    - 책장 : 테논칩 & 상판 (8자 철물)

- 원목 하우스 : 미적인 요소를 살리면서 공간 활용도 높이는 형태
  재료 - 멀바우 18T (2400 × 900 × 18) 1장 (8만 원)
- 책장 : 기존의 책장과 비슷한 컬러의 저렴한 소프트 우드 사용
  재료 - 스플러스 18T (240 × 1200 × 18) 1장 (6만 원)
- 마감재 : AURO No. 129 (4만 원)

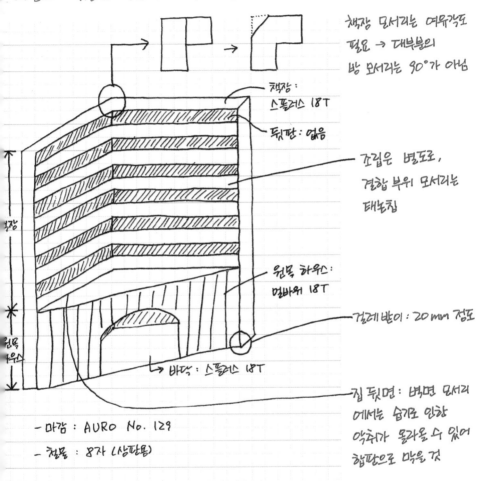

책장 모서리는 여유각도
필요 → 대부분의
방 모서리는 90°가 아님

책장 :
스플러스 18T

뒷판 : 없음

조립은 별도로,
결합 부위 모서리는
태눈침

원목 하우스 :
멀바우 18T

걸레 받이 : 20mm 정도

바닥 : 스플러스 18T

집 뒷면 : 벽면 모서리
에서는 습기로 인한
악취가 올라올 수 있어
합판으로 막을 것

- 마감 : AURO No. 129
- 철물 : 8자 (상판용)

마감재는 ?
① 강아지는 냄새에 민감해서 마감재의 향이 강하거나 오래 지속되면
  절대 집에 들어가지 않을 것.
② 책장은 면이 많기 때문에 바니시를 별도로 칠하지 않아도 되는
  마감재를 선택할 것.

} AURO
  No. 129

조선의 대외관계

조선 초기, 중기의 외교 정책과 대외 정서

- 사대교린 외교
  - 사대 : 동아시아의 보편적인 국제관계를 나타낸다.

    강대국인 중국에게 주변 제국들이 명분상 중국 황제의

    책봉을 받는 조공관계를 맺는 것
  - 교린 : 일본과 여진에 대한 평화적 회유책

* 사대정책

왕권 강화와

선진문화 수용 목적

교린정책

① 명 - 초기 : 자주적이고 능동적으로 실리를 추구하는 외교
  - 중기 : 명목적인 사대 외교
  → 정치적으로 국가를 안정시키고 선진 문화를 수용함

② 일본 : 왜구 침입 방지가 목적이므로 강경책, 회유책 함께

  강경책 - 쓰시마 섬 토벌 (세종 때 이종무)

  회유책 - 일본 봉건 영주들에게 제한적 조공무역 허가

③ 여진 : 기본 목표는 여진을 몰아내고 국토를 확장하는 것

  회유책으로는 무역소를 설치해 교류를 했고,

  강경책으로는 4군 6진을 개척했다.

  더불어 북방 개척으로 주민들을 이주시키는 사민정책,

  토착 세력에게 '토관'이라는 특수 관직을 주어 우대하는

  토관제도 등을 시행했다.

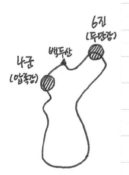

6진
(두만강)

4군
(압록강)

백두산

→ 1616 년 이후, 청이 등장하며 대륙의 정세도 변하기 시작했다.

광해군의 중립외교론이 실패로 돌아가면서 조청전쟁이 발발했다.

＊조선의 대외관계 흐름

조선 초기, 중기의 중심적인 대외정책은 사대교린이었다.
조일전쟁으로 인해 조선 사회는 많은 변화를 겪었다.
조청전쟁은 청이 군신관계를 강요해 발발하게 되었다.

조일전쟁 (1592)

전쟁 전 정세 : 조선의 국방력이 약화됐다. 왜구를 물리치려고
비변사를 설치했지만 큰 효과는 없었다.

배경 : 도요토미 히데요시가 통일 후 정권 안정을 위해 전쟁 일으킴

전개 : 일본군이 경상도 침입 → 선조, 의주로 피난 → 한양, 평양 함락
→ 이순신 활약, 의병 활동으로 전세 전환 → 일본이 휴전 제의

영향 : 인구와 경지 면적 감소, 이로 인한 재정적 어려움
정부에서는 비변사를 강화하고 훈련도감, 5군영 설치
사회적으로는 납속과 공명첩 발급으로 신분제가 동요하기 시작

조청전쟁

정묘호란 (인조 1627) : 서인정권의 청 배척

병자호란 (인조 1636) : 청이 조선에 군신관계 요구하여 발생

・ 북벌론 (효종의 북벌계획) → 나선정벌 (시베리아에 원조)

전쟁 개요 : 정묘호란으로 청과 조선은 형제 관계를 맺었지만
청은 명을 공격하겠다며 군사를 제공하고 군신관계를 맺자고
강요했다. 인조는 이에 불복했고, 청은 10만 대군을 끌고
조선을 침략했다. 결국 45일 만에 항복한 인조는
삼전도에서 굴욕적인 강화조약을 맺었다.

＊ 북학론과 북벌론

・ 광해군의 중립 외교 → 주화파 (조청전쟁) → 북학론 (17c 말) "실리론"

・ 서인정권의 청 배척 → 주전론 (조청전쟁) → 북벌론 (17c 초) "명분론"

＊조일전쟁, 조청전쟁 명칭
- 단순한 영토 분쟁이 아닌
국가 대 국가의 정식
전쟁이었으므로 조일전쟁,
조청전쟁이라 칭한다.

＊전쟁의 명분, 정명가도
"명나라 침공을 위해
길을 내어달라."

＊전쟁 주요 일지
1616년 후금 건국
1623년 인조 반정
1627년 정묘호란
1636년 병자호란
1637년 삼전도 항복

노트 가지고 놀기

○

아는 만큼 잘 놀 수 있다

○

처음으로 혼자 배낭여행을 떠난다고 생각해보자. 여행사나 가이드의 도움 없이 목적지, 항공권, 숙소, 관광 코스, 교통편을 알아보고 예약을 마친 후에는 짐을 싸야 한다. 첫 여행이라면 이것저것 필요할 성싶은 것들이 많아서 이민이라도 떠나는 사람인 양 무리하게 짐을 꾸릴 수도 있다.

그래도 괜찮다. 여행도 하면 할수록 요령이 생기기 마련이다. 노는 것이라고 해서 처음부터 잘할 수는 없다. 자전거를 즐기는 사람들에게 자전거의 종류에 대해 물어보면 용도와 기능별 구분에 대한 강의부터 시작해서 미니벨로, MTB, 하이브

리드, 로드 사이클 등 구체적인 설명이 줄줄 나온다. 낚시나 등산을 즐기는 사람들에게 어떤 장비가 필요하냐고 물어봐도 마찬가지다. 아는 만큼 잘 놀 수 있다.

○

종이 노트를 쓰는 이유

○

노트를 제대로 갖고 놀아보기 전에 노트에 대해 조금 더 알아보자. 스마트폰으로 무엇이든 할 수 있는 시대에 사람들은 왜 2000년 전부터 써온 종이 노트를 사용하는 것일까?

1999년만 해도 대부분의 사람들은 컴퓨터 파일 저장장치로 플로피 디스크(디스켓)를 사용했다. 당시 대학생이었던 나도 3.5인치 1.4Mb 디스켓과 700Mb 디스크(CD형)를 이용해 수십 건의 리포트와 노트를 저장하곤 했다.

그러다 불과 몇 년 사이에 USB 플래시 드라이브, 흔히 말하는 USB 메모리가 대중화되면서 플로피 디스크는 어쩌다 가끔 눈에 띄는 희귀품이 되었고, 언제부터인가는 3.5인치 디스켓을 연결할 수 있는 드라이브 자체가 컴퓨터에서 사라졌다. 디스켓에 저장해놓은 몇 년분의 노트를 더 이상 열어볼 길이 없어진 것이다. 기술이 발전하면 시대에 뒤떨어진 포맷은 무용지물이 되어버리게 마련이다.

비단 저장 매체만의 문제가 아니다. 스마트폰이나 디지털 카메라로 찍은 수만 장의 사진이 컴퓨터에 저장되어 있다 해도 이 어마어마한 분량의 사진들을 하나하나 열어보는 일은 지극히 드물다. 구슬이 서 말이라도 꿰어야 보배라고 했듯이 꿰어 놓지 않은 막대한 데이터는 의미를 갖지 못하는 무형의 더미에 지나지 않는다. 오늘날의 무한에 가까운 저장 공간이 낳은 무질서함은 판단 불가 상태를 야기하기 때문에, 직접 손으로 쓰면서 한번 걸러지고 정제된 노트가 주는 질서 정연함은 우리의 사고력을 높여주는 한편 정서적 안정감을 주기도 한다.

칸트는 "손은 바깥으로 드러난 또 하나의 두뇌"라고 했다. 우리 뇌의 감각 영역에서 손이 차지하는 비중은 다른 어떤 신체 부위보다도 높다. 또한 뇌의 전두엽 전 영역은 손의 움직임을 조정하고 공간적 패턴을 형성하는 일과 밀접한 관련이 있는데, 동시에 이 영역에서는 외부 환경으로부터 얻는 여러 가지 감각 자극을 뇌에 저장되어 있는 기억 정보와 연결시켜 고도의 사고를 이끌어내고 판단을 내리는 역할을 맡아본다. 즉 손으로 글씨를 쓰는 행동이 뇌에 감각 자극을 주어 사고력에 미치는 영향력이 크다는 것이다.

둔필승총(鈍筆勝聰)이라는 말이 있다. 다산 정약용이 남긴 말로, 서투른 글씨라도 많이 쓰는 사람이 머리가 좋은 사람보다 낫다는 뜻이다. 다빈치, 뉴턴, 아인슈타인처럼 재주가 뛰어나고 총명한 사람들조차도 끊임없이 손으로 기록하면서 자신의 생각을 발전시켜나갔다.

○

다빈치 노트의 사양과 구성

○

학생 시절 나는 대학 노트나 옥스퍼드 리갈 패드와 같은 A4 크기의 저렴한 노트를 주로 사용했다. 본격적으로 기획 일을 하면서부터는 가격에 구애받지 않고 노트를 고르기 시작했다. 노트 사용이 아이디어의 창출에 미치는 영향을 실감하고 아이디어에는 돈으로 환산할 수 있는 부가가치가 있다는 것을 깨달았기 때문이다. 시나리오 작업을 할 무렵 나는 원고료로 받은 돈을 시나리오에 적힌 글자 수로 나눠본 적이 있다. 한 글자당 오백 원 정도였는데, 내가 쓴 글자가 그 정도의 가치를 갖는다고 생각하게 된 후로는 노트를 고를 때 더 주의를 기울이게 되었다.

몰스킨이나 로디아, 미도리의 MD 노트 등 노트계의 명품을 비롯해 대형 문구점이나 디자인 숍에서 시선을 사로잡았던 다양한 노트들을 써본 경험은 〈다빈치 노트〉의 사양을 결정하는 과정에서 내게 큰 도움을 주었다. 노트에 관심 있는 사람들을 위해 간략하게 노트의 종류를 소개하고 〈다빈치 노트〉의 사양을 살펴볼까 한다.

노트는 제본 방식에 따라 양장, 무선, 스프링, 바인더 방식으로 나눌 수 있다. 양장은 종이를 한데 묶어 실로 꿰매어 제본하는 방식으로, 튼튼하고 잘 펼쳐진다는 장점이 있다. 두께감이 있더라도 노트의 중앙 접지선부터 필기하는 데 어려움이 없으나 가격이 비싼 편이다. 무선은 풀칠을 해서 종이 끝을 붙이는 방식으로 양장에 비해 가격이 저렴하다. 노트의 두께가 얇은 경우에는 사용하는 데 별 불편함이 없지만, 두께감이 있을 때는 종종 중앙 접지선 부분이 둥글게 말려 올라가 글씨를 쓰기 힘들고 이따금 책등이 쪼개지는 경우도 있다.

가격이 저렴하면서도 펼침성이 우수한 스프링 노트는 실용적이지만 대부분 A4나 B5 크기로 규격이 제한되어 있으며, 오른손잡이의 경우 좌측 지면에 필기를 할 때 손에 스프링에 걸려 불편하다는 단점이 있다. 또한 시판되는 종수가 적어 개인의 미적 감각이나 취향을 고려한 선택을 하기가 어렵다. 바인더 방식은 노트 내지를 자유자재로 배치하고 삽입하거나 뺄 수 있어 정리하기 편하나 많은 경우 바인더의 소재가 PVC나 인조가죽으로 되어 있어 무겁고 휴대하기에 불편하다.

〈다빈치 노트〉는 양장 제본 방식을 채택하고 있다. 양장으로 만든 까닭에 견고하여 오랫동안 보관해도 형태가 변하는 경우가 거의 없다. 또한 중앙 접지선 주변부에도 아무 불편 없이 글씨를 쓸 수 있도록 하여 펼침면을 기준으로 하나의 큰 틀을 완성하는 데 지장이 없도록 했다.

다음으로 내지 구성을 살펴보자. 〈다빈치 노트〉는 펼쳐놓았을 때 가로 28.3센티미터, 세로 22.3센티미터로 A4용지를 가로로 놓은 것보다 약간 크다. 노트를 펼치면 가운데에 박스 형태로 자리 잡은 정보 영역이 제일 먼저 눈에 들어오고, 그 주변으로 4센티미터 너비의 여백이 자리하고 있는 것을 볼 수 있다. 자기 생각 및 의문(보충 설명) 영역의 하단은 여백을 1센티미터 늘려 더 많은 내용을 적을 수 있도록 공간을 넓혔다. 하나의 펼침면은 크게 네 개의 영역으로 구분되지만, 정보 영역에 기록할 분량이 가장 많다는 데 주목하여 정보 영역에서 가지를 뻗어 자신의 생각과 보충 설명 등을 쓸 수 있도록 공간을 배치했다.

시중에 나와 있는 노트들의 내지 구성을 살펴보면 일정한 간격으로 줄이 그어져 있는 유선 노트, 아무런 표식이 없는 무선 노트, 모눈 노트, 코넬 노트 등이 있다. 가장 널리 사용되는 것은 유선 노트이다. 줄에 맞추어 나란히 글씨를 쓸 수 있기에 필기가 용이하다는 점 때문에 많은 사람들의 선택을 받는다. 백지 상태의 무선 노트 중에는 드로잉을 하려는 사람을 위해 두께감이 있고 비치지 않는 재질의 종이를 사용한 것이 많다. 모눈 노트는 한국에서는 많이 사용하지 않으나 이웃 일본에서는 '도쿄대 노트'라 하여 유명하다. 그 밖에 〈코넬 노트법〉 사용자를 위해 프레임이 그려진 노트도 있다.

내가 주로 사용했던 것은 유선 노트인데, 글씨를 휘갈겨 적어도 줄만 맞추면 어느 정도 정리되어 보이는 효과가 있다는 게 가장 큰 이유였다. 그런데 아이디어 회의나 콘셉트 회의를 진행하며 필기를 하다 보니 여러 사람의 의견을 구분해 적어야 할 필요성을 느끼게 되었다. 또한 객관적 정보와 주관적 생각을 분리해 적기 시작하면서 노트를 분할해 사용하게 되었고, 문장 형식으로 정리하던 필기 습관을 인포그래픽 중심으로 바꾸면서 비로소 모눈 노트의 편리함을 깨닫게 되었다. 모눈 노트의 가로선과 세로선은 노트를 분할하는 선을 긋기에도 편리했고, 간단한 그래프나 다이어그램, 도형 등을 그리는 데도 용이했다.

〈다빈치 노트〉는 이와 같은 유선 노트와 모눈 노트의 장점을 결합한 새로운 형태의 내지를 채택했다. 모눈 노트는 편의성이 높다는 이점이 있으나 내지 전면에 가로선과 세로선이 빼곡하여 글씨를 적으면 지저분해 보이고, 노트를 복사하거나 스캐닝 했을 때 글씨와 선이 뒤섞여 잘 알아보기가 어렵다. 또한 모눈 눈금의 간격은 1밀리미터와 5밀리미터를 표준으로 하는데 이는 일반적인 유선 노트의 줄 간격인 7밀리미터와 비교했을 때 차이가 있다.

〈다빈치 노트〉는 기존의 유선 노트 사용자도 위화감을 느끼지 않도록 줄 간격 7밀리미터를 기준으로 삼아 모눈 눈금의 간격을 3.5밀리미터로 조정하고, 모눈 선을 연하게 처리하였다. 모눈 눈금의 활용도를 살리되 선이 글씨와 뒤섞여 알아보기 힘든 상황이 발생하지 않도록 디자인했다. 그리고 각 페이지마다 쪽 번호를 표시해 차례를 만들 때나 차례를 보고 필요한 주제를 찾아가려 할 때 용이하도록 했다.

노트를 쓰는 사람들에게 종이는 중요한 고려 사항이다. 종이는 저마다 다른 질감과 두께, 색상을 갖고 있으며 어떤 펜을 사용하느냐와 더불어 글씨체에도 영향을 준다. 일부 예민한 사람들은 자신의 마음 상태나 주변 환경에 따라 늘 써오던 종이의 미세한 차이를 느끼기도 하며, 노트를 오랫동안 써온 사람들일수록 종이에 대한 호불호가 뚜렷한 편이다.

노트 용지로는 백색보다 미색을 많이 사용한다. 백색 종이는 눈의 피로가 금세 쌓이고 시간이 지날수록 변색되는 현상이 두드러지기 때문이다. 지금처럼 필기구가 다양하지 않을 무렵에는 노트를 쓸 때 주로 만년필이나 연필을 사용했기 때문에 표면이 부드럽고 매끄러우며 잉크나 흑연이 번지지 않는 중성지가 인기를 끌었다. 종이의 두께는 보통 그램을 단위로 하는데, 종류에 따라 약간씩의 차이는 있으나 70~80그램의 종이가 뒷면의 글씨가 비치는 현상이 덜하고 비교적 가볍다는 이유로 널리 쓰인다.

〈다빈치 노트〉는 노트 용지로 가장 많이 사용하는 모조지보다 가볍고 변색이 거의 없으며 질감이 부드럽고 촉촉한 고급 중성지를 사용했다.

노트 크기 가로 28.3cm, 세로 22.3cm 제본 방식 양장 내지 쪽수 208쪽 내지 구성 상하좌우 여백 4~5cm, 줄 노트 19행, 모눈 디자인(갈색) 내지 종이 알토 크림 맥스/미색

노래 가사 분석하기

o

예전에 어떤 사람이 나의 〈마인드맵 노트〉를 보고 자기에게
팔지 않겠느냐고 물어온 적이 있다. 그 사람이 제시한 금액은
당시 내 한 학기 등록금에 버금가는 액수였다. 하지만 나는 그
제안을 정중히 거절했다. 고작 삼천 원짜리 노트 한 권에 불과
했지만, 7개월 동안 수십 개의 마인드맵을 그리며 정리한 내
용은 당장 써먹을 수 있는 지식은 아닐지언정 치열하게 공부
한 내 삶의 흔적이었다. 이후 나는 노트 덕분에 제법 이름난
과외 선생이 될 수 있었다. 대학 시절 내내 나의 학비와 생활
비를 벌어준 것은 사실상 내 노트였던 셈이다.

이처럼 노트는 때로 단순한 개인의 기록을 넘어서 경제적
가치를 생산하기도 한다. 생각과 아이디어의 저장 창고이자
새로운 콘텐츠를 탄생시키는 인큐베이터 역할을 할 때도 있
다. 그렇다면 이제부터는 본격적으로 노트를 가지고 놀 궁리
를 해보자. 이 놀이의 좋은 점은 노트의 틀에 익숙해지기 위
한 훈련을 겸한다는 것이다.

〈다빈치 노트〉의 틀에 익숙해지고자 하는 사람들을 위해 가장 먼저 추천하는 방법은 좋아하는 노래 가사를 적어보는 것이다. 제목 영역에 노래 제목을 적고, 부제로 작사, 작곡, 가수, 앨범 제목, 앨범 출시일 등의 항목을 적는다. 정보 영역에는 가사를 적되 여덟 마디 단위로 행갈이를 하면, 아주 길거나 가사량이 많은 곡이 아닌 이상 대체로 펼침면을 꽉 채워 적을 수 있다. 가사를 다 적은 다음엔 노래를 반복해서 들으며 가사에 대한 느낌을 자기 생각 영역에 적는다. 노래에 얽힌 사연이나 연관된 추억을 적어보는 것도 좋다. 핵심 요약 영역에는 노래에 대한 전체적인 감상을 적는다. 노래 가사 적기는 노트를 잘 써야 한다는 부담감을 내려놓고 〈다빈치 노트〉의 틀을 익히는 가장 쉬운 훈련 방법의 하나이다.

실전 연습2
여행 계획 세우기

○

다음 단계로는 여행 계획을 짜보자. 조금 더 흥이 나도록 2박 3일 동안 베트남 호찌민에 다녀올 수 있는 왕복 항공권을 공짜로 얻었다고 가정해보자.

노트의 제목 영역에 '베트남 호찌민 관광 자료 조사'라고 적

는다. '1차 자료 조사', '인터넷 자료 조사'라는 식으로 부제를

붙여도 좋고 나중에 적어도 상관없다. 본격적으로 자료 조사를

시작해보자. 첫 여행이라면 여행서를 구입하는 것도 좋겠지

만, 여행 장소가 구체적으로 정해졌을 때는 우선 인터넷으로 대

강 자료를 살펴보는 것만으로도 큰 도움이 된다. 인터넷 검색창

에 '베트남, 호찌민'을 입력하면 다양한 여행 정보가 쏟아져 나

온다. 우선순위를 고려하지 말고 일단 관심이 가는 내용이 있

으면 소제목을 달고 정보 영역에 검정색 펜으로 적어보자.

베트남 호찌민 관광 자료 조사

▶ **호찌민 노트르담 대성당**

1880년 프랑스 식민지 시절에 완공된 네오 로마네스크 양식의

성당. 호찌민의 번화가에 위치해 있으며 성당 앞 광장에서 휴식

을 취하기에 좋다(시민 극장에서 도보로 5분 내외).

▶ **중앙 우체국**

노트르담 대성당 오른편에 위치. 호찌민의 대표적인 건축물로

구스타프 에펠이 설계했다. 외관은 콜로니얼 양식을 취하고 있으며 내부의 아치형 천장과 벽면 지도가 인상적이다. 우체국 내에서 환전도 가능하다.

대표적인 관광 명소에 대한 조사를 마치면 호찌민 지도를 펼쳐놓고 동선을 고려해 숙소를 정한다. 다양한 온라인 숙소 예약 업체를 활용해 가격과 시설, 리뷰 등을 검토하고 숙소 후보들을 적어놓는다. 숙소 후보지를 적으면서 이용자 리뷰에서 얻은 정보 가운데 참고할 내용들을 자기 생각 영역에 파란색 펜으로 적는다.

호찌민 숙소 후보

▶ **골든 센트럴 호텔 사이공**

사이공 기차역 근처. 65,000원/1박

2010년 오픈, 조식 레스토랑 뷰 최고, 주변에 마트 있음, 가격 비싼 편

▶ **오스카 사이공 호텔**

시티센터 근처. 53,000원/1박

고풍스러운 호텔, 시내 중심가 위치

▶ 드래곤 팰리스 호텔

사이공 기차역 근처. 35,000원/1박

최신 호텔, 저렴, 가격 대비 조식 훌륭함

환율이나 시차, 사용 전압, 맛집, 쇼핑 정보 등을 조사하면서 마찬가지로 정보 영역과 자기 생각 영역에 그 내용을 기록한다. 이때 펼침면 두 쪽 안에 모든 정보를 집어넣으려고 애쓸 필요는 없다. 되도록 공간을 여유롭게 활용하면서 세 쪽이든 네 쪽이든 써내려간다. 자기 생각 영역은 비워두어도 좋다.

어느 정도 자료 조사가 끝나면 인터넷에서 벗어나 노트에 기록된 정보들을 꼼꼼하게 분석하면서 자신의 생각을 적어본다. 숙소 후보지 가운데 최종적으로 결정한 곳이 있으면 노트의 여백에 '확정'이라고 표시하면 된다. 가볼 만한 관광지 목록 옆의 여백에도 방문할 날짜와 시간을 적고 교통편 등의 정보를 추가한다.

그렇게 여행 일정까지 어느 정도 정했으면 이제 모아놓은 정보들과 여행 목표를 하나의 틀 안에 정리해보자. 먼저 정보 영역에 날짜 별로 일정이 담긴 표를 그려 넣자. 일정을 한눈에 볼 수 있도록 동선을 그림으로 그려보는 것도 좋다. 자기 생각 및 의문(보충 설명) 영역에는 간단한 현지 회화나 알짜 여행 정보 등을 적고, 놓치지 말아야 할 즐길거리 등을 적어놓아도 좋다. 핵심 요약 영역에는 여행에서 잊지 말아야 할 팁을 적어보자. 정해진 규칙이 있는 게 아니니까 본인만의 스타일로 하나의 틀에 정리해보는 거다. 여행 계획은 규칙에 얽매이지 말고 가벼운 마음으로 작성하고 여백을 비워 여행지에서 느낀 감정을 덧붙일 수 있도록 해도 좋다.

최종적으로 하나의 틀 안에 정리할 때는 되도록 정성껏 작성하는 게 좋다. 시간이 흐른 뒤에 노트를 다시 펼치면 완성된 틀을 중심으로 보게 되기 때문이다. 잘 정리된 노트는 계속해서 노트를 써나가고자 하는 사용자의 내적 동기를 강화시킨다. 그리고 이렇게 완성된 결과물에 대한 만족감은 곧 자기 효능감의 증진으로 이어진다. 놀이를 통해 노트 사용법을 익히기 위해서는 이 마지막 과정이 필수적이다.

베트남 여행

주말 2박 3일 호찌민 투어 계획

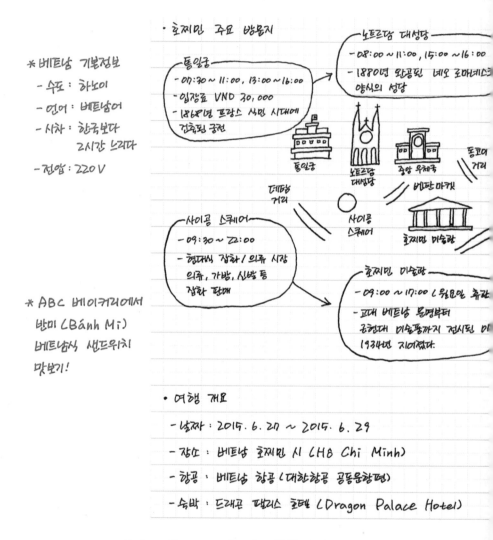

* 호찌민 주요 방문지

통일궁
- 07:30 ~ 11:00, 13:00 ~ 16:00
- 입장료 VND 30,000
- 1868년 프랑스 식민 시대에 건축된 궁전

노트르담 대성당
- 08:00 ~ 11:00, 15:00 ~ 16:00
- 1880년 완공된 네오 로마네스크 양식의 성당

사이공 스퀘어
- 09:30 ~ 22:00
- 형태시, 잡화 / 의류 시장 의류, 가방, 신발 등 잡화 판매

호찌민 미술관
- 09:00 ~ 17:00 (월요일 휴관)
- 고대 베트남 문명부터 공현대 미술품까지 전시된 미 1934년 지어졌다.

(지도 라벨)
- 통일궁
- 노트르담 대성당
- 중앙 우체국
- 동코이 거리
- 데탐 거리
- 벤탄 마켓
- 사이공 스퀘어
- 호찌민 미술관

* 베트남 기본정보
- 수도 : 하노이
- 언어 : 베트남어
- 시차 : 한국보다 2시간 느리다
- 전압 : 220 V

* ABC 베이커리에서 반미 (Bánh Mi) 베트남식 샌드위치 맛보기!

• 여행 개요
- 날짜 : 2015. 6. 27 ~ 2015. 6. 29
- 장소 : 베트남 호찌민 시 (HB Chi Minh)
- 항공 : 베트남 항공 (대한항공 공동운항편)
- 숙박 : 드래곤 팰리스 호텔 (Dragon Palace Hotel)

* 베트남은 식민지 시절의 영향으로 프랑스식 음식 문화가 발달했다. 최고급 레스토랑에서 런치 풀코스를 1만 원대의 가격에 즐길 수 있다.

* 베트남 여행 Tip
- 한국에서 달러로 환전 후 현지에서 동으로 재환전할 것!
- 택시는 바가지 요금이 심하므로 비나썬(Vinasun)을 이용한다.
- 여행자 보험 가입을 잊었다면 인천공항에서 가능하다.

• 여행 일정

날짜	일 정
6.27 (토)	(11:20) 호찌민 in. 호텔 check in 통일궁, 노트르담 대 성당, 중앙 우체국, 동코이 거리 구경 * 프랑스식 만찬 즐기기
6.28 (일)	Bình Quới 구경, 점심 뷔페 사이공 스퀘어, 호찌민 미술관, 벤탄 마켓 구경 / 쇼핑 * AB 타워에서 야경 감상
6.29 (월)	호텔 check out, 공항 이동 (12:20) 호찌민 out

중앙 우체국
7:00 ~ 20:00
스타본 에펠이
계한 호찌민
대표 건축물
체국 내 환전 가능

벤탄 마켓
06:00 ~ 18:00
찌민의 대표적
거래시장
가짜 요금 주의

* 고수 빼주세요!
Không cho rau
thơm chị ạ
[콩 쪼 라우 텀 찌 아]
강한 향신료가 싫을 때!

* 베트남식 커피를
즐기려면 Highland,
Trung Nguyen
커피 전문점 방문!

찌민 근교 Bình Quới
주소 : Bình Quới 1 Tourist Resort
      1147 Bình Quới Street, Ward 28, Bìn Than District
시간 : 09:00 ~ 21:00 (식사 가격 VND 180,000)
가는 법 : 벤탄 버스 터미널에서 44번 버스 타고 30분 소요
         요금은 1인당 VND 4,000

* 호찌민 즐길거리
- 프랑스식 건물을 둘러보는 도심 투어
- 호찌민 미술관에서 베트남 역사와 문화 접하기
- 골목골목 숨어 있는 부티크숍 탐방

가장 좋아하는 것부터 노트하라

〈다빈치 노트〉의 틀을 능숙하게 사용한다는 것은 평생 써먹을 수 있는 기술을 제 것으로 만드는 일에 다름 아니다. 이 기술을 습득하기 위해서는 다른 모든 일과 마찬가지로 훈련이 필요하다. 시작부터 어렵게 접근하면 한두 번 시도하다 중단하고 만다. 평생 써먹기 위해서는 재미가 있어야 하고, 정성을 들인 만큼 보람을 느껴야 한다. 즐거운 것부터 시작하자.

지금 읽고 있는 책이 마음에 든다면 책에서 공감한 문장들을 그대로 필사하는 것도 좋다. 우선 책 제목을 적고 기억하고 싶은 문장을 적는다. 필요에 따라서는 옮겨 쓴 문장이 있던 챕터의 소제목 정도를 함께 적어둔다. 그렇게 한 권의 책에서 옮긴 문장들을 살펴보면서 독서록을 작성해보자. 책 내용을 요약해 정보 영역에 적고, 가장 좋았던 문장은 한 번 더 옮겨 적는다. 어떤 대목에서 감동을 느꼈는지 자기 생각 영역에 적어보고, 마지막에는 이 책에서 얻은 삶의 지혜를 핵심 요약 영역에 적어 넣는다.

취미로 소이 캔들을 만들거나 캘리그라피를 배우고 있다면 그 내용을 노트에 적어보자. 현재 자신이 가장 관심을 갖고 있는 분야, 시간 가는 줄 모르고 빠져 있는 놀이, 너무나 배우고 싶었던 취미, 가장 좋아하는 사람에 대한 열정에 기대어 노트를 쓰기 시작해보는 것이다. 마땅히 떠오르는 게 없다면 자신이 가장 잘 아는 대상에 관해 써보는 건 어떨까.

어떤 식으로든 노트를 쓰는 동안 몰입하여 시간 가는 줄 몰랐다면, 하나의 틀을 완성해보고 더 잘할 수 있다는 의욕이 샘솟는다면 당신은 노트를 갖고 놀고 있는 것이다. 성급하게 어떤 결과를 기대했다가 금세 실망해 싫증 내기보다는 끈기와 인내심을 갖고 노트 쓰기의 매력에 빠져보길 바란다. 당신의 아이디어들로 하나하나 차례를 채워가고, 노트 한 권을 다 써보고, 다 쓴 노트들이 나란히 책장에 꽂혀 있는 모습을 보았을 때 비로소 느낄 수 있는 쾌감이 있다. 그리고 다 쓴 노트의 아이디어들이 서로 결합해 새로운 아이디어를 창출하고, 그것이 노트 밖에서 현실이 되고, 그렇게 탄생한 무언가가 나의 이름을 달고 세상을 가로지르는 모습을 볼 때, 어쩌면 당신은 결코 상상해본 적 없는 쾌감을 느끼게 될지도 모른다.

소품 서랍장 만들기

양면 슬라이드 원목 4단 서랍장 제작

■ 책상 소품 서랍장

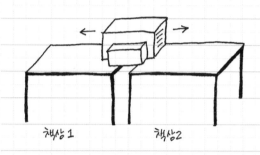

책상 1   책상2

4단 서랍장
+
양면 슬라이드 방식

- 두 책상 사이 공간 활용
- 두 책상에서 공통으로 사용하는 소품 보관
- 책상과 잘 어울리는 디자인
- 기존에 있던 연필꽂이 역할

■ 설계도

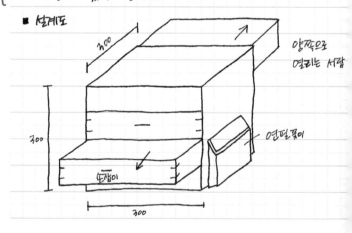

300

300

300

양쪽으로
열리는 서랍

연필꽂이

손잡이

※ 안전 주의!

- 300 x 300 4단 서랍은 잔손이 많다.

- 각 부재들은 가공할 때 홈을 많이 파는데 부재가 작으므로
  매우 조심할 것

레일을 활용한 양면 슬라이드 방식의 4단 서랍장

외형 : 책상과 원목 느낌이 비슷한 아카시아 18T

서랍 : 가공하기 쉽고 측의 컬러를 살리는 스플러스 15T

손잡이 & 측 : 포인트 디자인이 될 수 있는 월넛 자투리

마감재 : 오일 Tried & True Original / 폴리우레탄 바니시

—갑

목레일 방식

앞
→ 목레일
→ 월넛 측

목레일 + 측 : 이
간격이 일정해야 함

서랍 4개 : 측 8개 / 1서랍 × 4 = 32개

목레일 용 레일 : 2개 / 1서랍 × 4 = 8개

손잡이 : 2개 / 1서랍 × 4 = 8개 ————→

× 8 EA

—떡 꽂이

- 250 × 40 공간을 내부 공간은
  3칸으로 분리

- 입구를 사선으로 해서 사용이 편리 하게 제작

—형

90°

조립 방식 : 사선 45° 조립

① 외형은 깔끔해
보이지만 재단 및 조립 시
매우 신경 써야 함

② 45° 조립 시 내부
모서리 각도 90° 체크
중요

③ 1mm 어긋나도 상당히
지저분해 보이므로
각도 조정 디테일 필수!

비스킷

풀림 주의

- 연결 부위는 비스킷 2개씩

- 비스킷 가공 시 반대쪽으로 뚫고 나오지 않게 조심

시놉시스와 스토리
시놉시스 쓸 때 고려해야 할 것들

- 시놉시스란?

  - 감성에 관한 문서 : 내용만 축약하면 뉘앙스가 사라진다.

  - 일부를 통해 전체를 짐작할 수 있다.

  - 최선의 기운이 느껴져야 시나리오를, 영화를 보고싶다.

  - 참신한 시도와 더불어 내용 전달도 충실해야 한다.

  - 보여줄 사람의 니즈에 맞춰 써야 한다.

  - 세 덩어리 (시작, 전전, 결말)로 나누어진 이야기의 질감이
    느껴져야 한다.

  - 세 줄로 충돌하는 정서를 표현해야 한다.

    ex) 〈8월의 크리스마스〉

행간에 담겨 있는
정서와 정서의 충돌을
극대화하기 위해
아버지와 여자 등장!

  ① 삶은 무료하고 단조롭다.

  ② 죽음이 눈앞에 다가오니 삶이 왜 이렇게 아까울까?

  ③ 죽음이 있기 때문에 삶이 아름다운 거였구나.

- 주인공은 어떤 사람인가?

  - 왜 이 사람의 이야기를 하려고 하는가에서 출발

  - 작가가 쓰고 싶은 심상에서 주인공의 성취동기(목적, 의식, 욕구)를
    찾아라.

  - 격렬하고 절절할수록 주인공의 움직임이 커진다.

→ 목적의식을 향해 달려가는 주인공의 모습을 보면 어떤 관념(주제)이 떠올라야
   한다. 관념이 목적의식이 되거나 주제를 향해 달려가면 관객이 먼저 지치고
   관객이 주인공의 등에 업히려면 어떻게 해야 할까?

＊ 좋은 시놉시스 쓰는 법

[으]른 사람의 마음을 울릴 수 있는 정서, 이 정서가 충돌하는 세 줄을 만든다.

[이]야기의 구조를 위해 소박하고 따뜻하면서 애처롭기까지 한 목적의식을 찾아라.

[주]인공이 쉽사리 나아가지 못하게 만드는 아름다운 족쇄를 채워라.

[스토]리란?

[강한 동]기를 가진 주인공이 목표(가능하면 주제와 상반되는)를 향해

[나아]가지만, 곧바로 도착하는 것을 방해하는 것(적대와 적)이 있다.

[방]해를 극복하고 나아가는 것이 스토리다.

> 이면을 주제를
> 가장 독특 이야기에
> 실을 수 있어야 함!

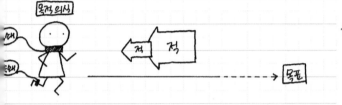

목적의식

← 적 적

········→ 목표

＊ 족쇄는 뒤로
잡아당겼다가 놓으면
반대로 튕겨내는
고무줄 같은 것!

[강]한 적은 누구인가?

[강]한 적은 '유능'이라는 무기를 가졌지만,

　　　'불의'가 그의 한계다.

[강한] 적은 단단하게 공감이 가고 끌리는 인물이다.

[]⟩ 〈아마데우스〉의 살리에르

[상]대 악은 강한 것이 아니라 훌륭하다.

[적]의 역할은 욕망의 축에 따라 바뀐다. 적에게도 인성이 있으며,

[]인성에 딱 맞는 욕망을 찾아라.

[대]칭 인물은 혼자 공중부양하게 된다.

＊〈크레이머 대 크레이머〉
이혼한 아내이자
아이의 엄마. 최고의 적!

＊〈2001 스페이스 오딧세이〉
유능하고 강력하며
아주 인상적인 적!

＊3장 이론에 정서를 더하라

[1]. 등장인물이 누구인지 알게 되고 어떤 이야기인지 정한다. ＋ 기대감

[2]. 스토리에 대한 정서적 참여도를 높인다. ＋ 충격

[3]. 스토리는 정리되고 만족스러운 엔딩을 경험한다. ＋ 자각

노트 응용하기

○

글씨에 자신 없는 사람들을 위한 필기 노하우

○

〈다빈치 노트〉의 기본 틀을 익히는 과정에서 예상치 못한 난관에 부딪친 사람도 있을 것이다. 바로 손글씨 쓰기의 어려움 때문이다. 디지털 시대가 도래하면서 키보드로 글자를 입력하는 속도가 손으로 글자를 쓰는 속도를 앞지른 건 이미 오래전 일이다. 일상생활에서 글씨를 쓸 일 자체가 줄어든 마당에 갑자기 안 하던 일을 하려니 노트 한 면을 채우기도 전에 손가락이 뻐근해지고 손바닥에는 쥐가 나고 자세도 뒤틀리기 십상이다.

책상에서 떠나고 싶은 수만 가지 이유에도 불구하고 굳건

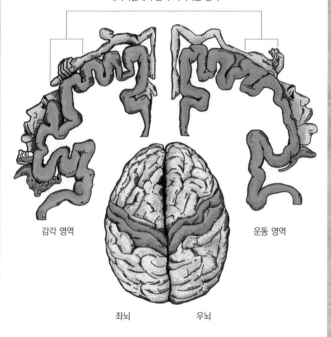

대뇌피질에서 손이 차지하는 영역

감각 영역

운동 영역

좌뇌

우뇌

뇌의 호문쿨루스. 우리 몸의 감각 영역과 운동 영역에서 가장 많은 비중을 차지하고 있는 부위가 손이다. 손을 사용하는 것은 뇌에 많은 자극을 주게 되며, 특히 손으로 글 씨는 쓰는 행동은 인지 능력과 기억력을 증진시키는 효과가 있다.

히 버텨냈건만 정작 노트에 써놓은 자기 글씨가 마음에 들지 않아 노트 쓰기를 그만두고 싶어진 사람도 있을 것이다. 하지만 손으로 글씨를 쓰는 활동은 기억력을 높여주고 인지 능력을 향상시킨다. 손글씨를 쓰는 것은 집중력을 높여주며, 정서적으로도 안정감을 준다. 노트를 쓰는 것 외에도 글씨를 쓰는 것만으로도 얻을 수 있는 이점이 많다. 그러니 나는 글씨를 못 쓰니까라며 지레 노트 쓰기를 포기하지 말기를 바란다.

또한 단기간에 글씨체 자체를 변화시키기는 어렵지만, 노력을 들인만큼 좋아지는 것은 분명하다. 〈다빈치 노트〉의 모눈 노트를 활용해 보기 좋게 필기하는 몇 가지 노하우를 전하니 부디 낙담하지 말고 이 노트를 손글씨 연습용으로 사용해보자.

한 가지 덧붙이자면, 자신에게 맞는 필기도구를 찾아내는 것도 노트를 지속적으로 쓰는 데 도움이 된다. 필기도구는 글씨체에 직접적인 영향을 미치기 때문에 자신의 필기 성향에 적합한 것을 사용하는 편이 효과적이다. 그러나 자신에게 맞는 노트를 고르는 일만큼이나 필기도구를 찾는 일도 쉽지 않다. 연필, 샤프펜슬, 볼펜, 수성펜, 젤리펜, 만년필 등 종류도 많을뿐더러 평생 다 써볼 수도 없을 만큼 다양한 제품들이 시중에

글씨에 자신 없는
사람들을 위한 필기 노하우

- 글자의 자음을 흘겨 쓰거나 생략하지 않고 또박또박 쓴다.
- 행과 행 사이의 모눈선을 활용해 글자의 중심을 맞춘다.
- 모눈을 활용해 글자의 크기를 조율한다.
- 행의 첫 글자를 쓸 때 시작 위치를 일렬로 맞춘다.
- 이중받침을 쓸 때 앞 자음보다 뒤 자음을 크게 쓴다.

나와 있기 때문이다. 그중에서 내가 직접 사용해보고 마음에 들었던 두 종류의 펜을 소개하고자 한다.

모닝글로리에서 출시한 마하펜 II(0.4mm)는 글씨를 썼을 때 잉크가 진하고 선명하며 필기감이 부드러워 가장 선호하는 수성펜이다. 일명 지워지는 펜이라고 불리는 파이롯트의 프릭션 펜은 지우개의 마찰열에 의해 잉크가 사라지는 원리를 이용한 것이다. 연필로 쓴 글씨를 지우듯 펜으로 쓴 글씨를 지울 수 있다는 편리함 때문에 애용하는데, 특히 노트의 필기 내용을 최종적으로 틀 안에 정리할 때에는 잘못 쓴 부분을 쉽게 수정

할 수 있는 프릭션 4컬러 펜을 주로 사용한다.

○

도해 테크닉 활용하기

○

노트 필기 방식과 성취도에 관한 연구를 살펴보면 하나같이
입을 모아 강조하는 바가 있다. 자료를 있는 그대로 베끼거나
모든 것을 빠짐없이 적어 넣는 방식의 필기는 판단력을 떨어
뜨리므로 도해 등을 활용해 압축하고 핵심만 요약해서 기록해
야 한다는 것이다. 도해를 활용해 압축적으로 표현하면 기억
하기도 쉽고 필기에 드는 시간도 절약할 수 있다. 특히 〈다빈
치 노트〉를 사용해 하나의 주제를 정리할 때, 제한된 공간을
십분 활용해 전체 내용을 한눈에 볼 수 있게끔 만들기 위해서
는 도해 테크닉이 필요하다.

하지만 막상 강의를 듣거나 아이디어 회의를 하면서 약어나
기호, 다이어그램, 순서도, 인포그래픽 등을 활용해 필기를 한
다는 것은 쉬운 일이 아니다. 무언가를 보고 그릴 수는 있어도
어디서 어떻게 끝날지 알 수 없는 정보를 들으며 도식화하려
다 오히려 내용을 놓치는 경우가 허다하다. 어떻게 해야 도해

테크닉을 자연스럽게 구사할 수 있을까?

먼저 도해의 개념부터 알아보자. 도해[圖解]는 내용을 파악하기 쉽게 그림으로 표현하는 것이다. 도해의 종류로는 약어, 기호, 다이어그램, 순서도, 인포그래픽 등이 있다.

도해의 종류

- **약어** 자주 사용하는 표현의 앞 글자나 대표 음절만 표기.

  ©: 저작권, ex.: 예시, ps.: 추신

- **기호** 특정 의미나 규칙을 담고 있는 부호.

  ㄱ, #, →, ※

- **다이어그램** 아이디어나 정보를 분석해 관계, 논리, 흐름, 수치 등의 구조를 알아보기 쉽게 도표로 그린 것.

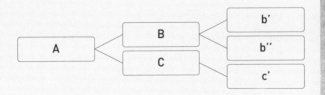

아이디어 전개형 하나의 주제에서 확산되는 아이디어를 표현하거나 조직, 계층 등의 구조를 표현한다.

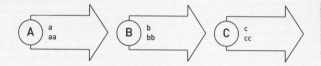

프로세스형 시간의 흐름이나 순서에 따른 과정을 표현한다.

	신형	구형
저가	A	B
고가	C	D

매트릭스형 서로 다른 두 가지 기준을 중심으로 정보를 분류한다.

순환구조형 순서가 있으나 종료되지 않고 계속 순환하는 프로세스를 표현한다.

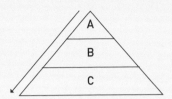

피라미드형 상위 개념에서 하위 개념으로 확대되는 구조나 상위 개념의 하부 구조를 상세하게 설명한다.

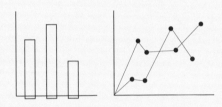

그래프형 수치적인 개념이 들어간 정보의 변화 추이를 알아보기 쉽게 하나의 표로 구성한다.

- **인포그래픽** 복잡한 정보를 정확하고 신속하게 전달하기 위해 시각화한 것으로 주제와 관련된 수치 정보를 전달하는 도표나 그래프. 노트를 쓰면서 스스로 논리적인 구조를 정리하는 다이어그램과 비교했을 때 외부에서 제공받은 정보라는 점이 다르기

때문에 출처를 표시해야 한다. 지도나 지하철 노선도가 인포그래픽의 대표적인 예이다.

- **순서도** 프로그래밍 언어에서 유래한 것으로, 어떤 문제를 해결하기 위한 과정을 순차적으로 표시한 그림. 도형에 시작/종료, 판단, 정보/행동, 결과 등의 간단한 규칙을 부여하고 화살표로 연결하여 상호 관계를 한눈에 조망할 수 있게 표현한 구조도.

아이디어 도출 순서도

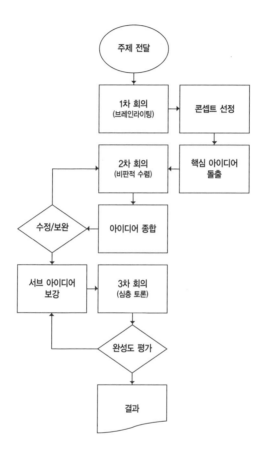

프로그램 순서도의 규칙을 응용해 자신에게 맞는 규칙을 만들어 활용할 수 있다.

도해의 목적은 전달하고자 하는 내용을 일목요연하게 보여주는 것이다. 많은 사람들이 도해를 활용하는 일에 어려움을 겪는 것은 정보를 나열하는 데에 익숙하기 때문이다. 있는 그대로 베껴 쓰거나 모든 것을 받아쓰기만 할 때의 문제점은 정보의 구조를 분석하고 논리를 파악하는 과정을 생략한 채 그저 필기만 한다는 데에 있다. 앞에서 소개했던 〈시나리오 강의 노트〉의 4단계 프로세스를 떠올려보자.

강의 노트 작성 프로세스

1단계 녹취

2단계 육성을 그대로 받아쓴 녹취록 작성

3단계 재구성 및 필기

4단계 편집

2단계에 해당하는 녹취록 작성은 강사의 육성을 있는 그대로 받아쓰는 과정이다. 여기까지만 놓고 보면 잘못된 노트 필기 방식이 아닌가 하는 의구심이 들 수도 있겠지만, 이내 받아쓴 내용을 재구성하고 편집하는 과정(3단계)이 뒤따르는 것

인생의 정점(최고/성공) ○
　　　　　　　　　　● 정점에서 추락하는 인간의 이야기

끝까지 갔다가 다시 돌아오는 구조

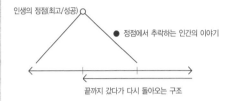

아내에 대한 사랑이 남아 있다 + 다친 아이에 대한 책임감		
1. 상처 입은 아이에 대해 털어놓음	➡	아내에 대한 사과 + 화해에 대한 기대
2. 아이를 보았다는 조애너의 말	➡	자기를 보러 온 것이 아니라는 불안감
3. 두 달 동안 아이를 지켜보았다	➡	많은 고민을 한 조애너의 윤리적 균형
4. 아이를 데려갔다 ➡ 강력한 적으로 등장	➡	화를 내는 테드 ➡ 이미 업혀 있던 관객 갈등

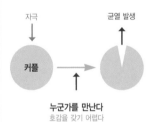

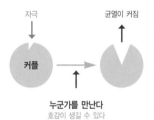

〈시나리오 강의 노트〉에서 활용한 도해 테크닉

을 알 수 있다. 도해 테크닉을 상황에 맞게 자유자재로 구사하기 위해서는 필요한 정보를 최대한으로 수집한 후에 이를 먼저 논리적인 글로 정리하고, 정리한 글을 다시 시각화하는 과정을 반복적으로 훈련할 필요가 있다. 즉 시각화를 잘하기 위해서는 먼저 논리적인 글을 쓸 수 있어야 하는 것이다.

자신의 생각을 글로 정리할 수 있다면 도해 테크닉은 그렇게 어려운 것이 아니다. 어떤 주제에 대해 글을 쓰려고 할 때 먼저 자료 조사를 하고 구성을 짜면 해당 주제에 대해 어디까지 다룰 것인지를 명확하게 알 수 있다. 자신이 전달할 내용을 뚜렷이 인지하고 있어야만 이를 시각적으로 보여주기 위해 도해를 활용할 수 있다.

강의를 들으면서 도해 테크닉을 활용하기 어려운 이유가 여기에 있다. 처음 듣는 강의의 경우에는 어떤 내용을 어디까지 다루는지 알 수 없기 때문에 그 자리에서 바로 도해로 표현하기가 힘들다. 하지만 일단 한번 들은 강의의 내용을 다시 정리할 때는 도해 작업을 할 수 있다. 〈시나리오 강의 노트〉도 처음부터 도해를 그려가며 정리한 것이 아니다. 강의 노트 작성 프로세스의 3단계 과정에서 재구성한 내용을 4단계 편집 과정에서 압축하고 요약해나가며 비로소 도해로 표현할 수 있었다.

잊지 말자. 도해 테크닉은 그림 솜씨와는 무관하다. 적절한 도해를 활용하기 위해 필요한 것은 예술적인 재능이 아니라 전체 내용을 숙지하고 있는지의 여부이다. 교사나 강사들이 도해를 그려가며 설명하는 것은 그들이 이미 그 내용을 다 소화하고 있기 때문이다. 도해는 어디까지나 복잡한 내용을 쉽게 전달하기 위해 고안된 것이다.

〈다빈치 노트〉에서 도해는 멋진 그림을 다른 사람에게 보여주기 위한 것이 아니라 자신이 그 내용을 확실하게 이해했는지를 검토하는 과정의 일부로서 활용해야 한다. 그 점을 유념하면서 노트를 쓰다 보면 어느 순간부터는 능숙하게 자신의 생각을 도해로 표현할 수 있을 것이다.

창조적인 사람들을 위한 다빈치 노트

○

기억, 연합, 몰입, 소통

○

너무도 당연한 이야기이지만, 노트는 자기 자신을 위해 쓰는 것이다. 노트를 쓰는 사람들에게는 저마다 목적이 있다. 누구는 원하는 대학에 붙고 싶어서, 누구는 업무를 원활하게 하려고, 또 누구는 한번 들은 강의를 계속 기억하고 활용하고 싶은 마음에 노트를 쓴다.

〈다빈치 노트〉의 궁극적인 목적은 창조성을 극대화하는 것이다. 괜찮은 아이디어도, 쓸모없는 아이디어도, 세상을 바꾸고야 말 아이디어도, 모든 아이디어가 하나같이 가지고 있는 공통된 속성이 있다. 잘 붙잡아두지 않으면 눈 깜빡할 새에 사라져버린다는 것이다.

노트는 아이디어가 창조적인 산물로 완성될 수 있도록 붙잡아놓는 역할을 한다. 모진 경쟁을 뚫고 살아남은 아이디어는 개선과 평가를 거쳐 다듬어지고, 다른 아이디어와 연합해 새로운 아이디어로 거듭나면서 발전한다. 이때 노트는 아이디어와 아이디어 간의 연합을 촉진한다. 또한 노트는 몰입을 낳는다. 노트를 쓰는 동안 집중력이 높아지고 노트를 통해 스스로 시기적절한 피드백을 할 수 있기 때문이다. 끝으로 노트는 소통의 수단이 된다. 그저 머릿속을 맴돌기만 하던 것을 노트에 구체화하면서 우리는 다른 사람들에게 자신의 아이디어를 설명하고 이해시킬 수 있다. 기억, 연합, 몰입, 소통. 이네 가지는 인간이 창조적인 행위를 할 때 꼭 필요한 요소이기 때문에 노트는 곧 창조성을 키우는 도구가 된다.

〈다빈치 노트〉의 틀은 사고의 흐름을 만들어내고 고민과 발전을 통해 생각이 여물 수 있게 해주는 씽큐베이터 Think-incubator 이다. 이를 잘 사용해 온전히 자신의 것으로 삼기 위해서는 어떤 이익을 얻고자 하지 말고 틀 자체에 몰입해 틀을 채워가는 즐거움을 느껴야 한다. 틀 안에서 성장하고 발전한 자신의 아이디어를 보면서 순수한 만족감을 느낀 다음에는 노트 위에 적힌 아이디어들을 현실 세계로 꺼내는 과정이 이어질 차례이다. 그때도 노트는 판단의 근거를 제시할 것이며, 방법을 찾아내줄 것이다.

○

습관의 힘

○

좋은 습관이 인생을 바꾼다는 말이 있다. 습관은 반복되어 몸에 밴 행동과 사고를 의미한다. 우리 몸은 어떤 행동을 습관화하기까지 3단계를 겪는다. 1단계 습관 학습: 어떤 행동을 사흘 정도 반복하면 뇌가 의식적으로 이를 학습하기 위해 활성화된다. 하지만 동시에 새롭고 낯선 행동에 대해 스트레스를 느낀다. 이때를 넘기지 못하고 포기하는 사람이 많아서 작심삼일이라는 말이 생긴 것일지도 모르겠다. 2단계 습관 형성: 한 달 정도 같은 행동을 반복하고 나면 이를 관장하는 신경 회로가 성립하여 자동적으로 그 행동을 할 수 있게 된다. 3단계 습관 정착: 어떤 행동을 시작하고 나서 약 3개월 정도 지나면 뇌는 우리가 이 행동을 할 때 도파민을 분비하여 이를 즐겁고

유쾌한 것으로 받아들이게 하고 습관 회로를 강화한다. 이 단계를 넘어서면 행동을 할 때 에너지도 적게 들고 반응도 빨라지며 무엇보다도 이 행동에서 재미를 느끼게 된다. 1년 정도 같은 행동을 지속하면 거의 영구적인 습관으로 정착된다.

〈다빈치 노트〉를 막 쓰기 시작하려는 분들에게 부탁드리고 싶은 게 있다. 사흘을 견뎌보자. 익숙하지 않은 일을 시작하는 데서 오는 피로와 스트레스는 자신이 좋아하거나 즐길 수 있는 작업과 노트 쓰기를 연결 지음으로써 극복할 수 있을 것이다. 한 달 동안 지속적으로 연습해왔다면 기본 틀에 어느 정도 익숙해졌을 테니 새로운 분야에 도전해보자. 수업 시간이나 회의 시간에 노트를 활용해보는 것이다. 크게 두 단계로 나누어 생각하자. 일단 적을 수 있는 것은 다 적는다. 그러고 나서 하나의 틀 안에 정리한다. 이때 도해를 활용하는 것도 잊지 말자.

그렇게 3개월이 지나면 앉은자리에서 하나의 틀을 완성하는 경험도 하게 될 것이다. 아마도 그때쯤이면 노트에도 제법 손때가 묻을 테고 차례를 빼곡하게 채운 제목들도 눈에 띌 것이다. 노트를 넘기다 보면 지난 3개월의 시간이 고스란히 머릿속에 떠올라 만감이 교차하는 미소를 짓게 될지도 모른다.

1년이 지나면 책장 한편에 마지막 장까지 꽉 채운 노트 두어 권이 꽂혀 있을 것이다. 이제 노트는 당신의 가장 든든한 무기가 되었다. 기발한 생각이 떠올랐을 때, 새로운 것을 배울 때, 생소한 업무를 맡았을 때, 당신은 노트부터 찾게 될 것이다.

○

상상하라, 꿈은 이루어진다

○

창조적인 사람들의 노트는 일생의 동반자로서 언제고 파묻힐 수 있는 실험실이 되어주고, 연구의 모든 과정을 온전히 보존해주며, 성공과 실패, 불안과 기대가 교차하는 미래의 꿈을 간직해준다. 기억하자. 노트에 적힌 글자와 기호, 그림은 당신의 즐거움을 먹고 자란다. 즐겁지 않으면 지속할 수 없다.

잠시 쓰는 것을 멈추고 상상해보자. 문을 열고 들어서면 높다란 아치형 천장에 화려한 벽화가 그려져 있고, 대리석이 깔린 바닥 위로 걸음을 옮길 때마다 발자국 소리가 멀리까지 울려 퍼진다. '특별 전시'라고 쓰여 있는 팻말을 따라가면 빛을 차단하기 위해 검은 벽을 둘러놓은 전시관이 나온다. 전시관

안에는 강화유리로 덮인 선반이 도열해 있고, 각 선반마다 전
시물을 비추는 핀 조명이 설치되어 있다.

　그중 한 곳에 손때가 묻은 낡은 노트가 놓여 있고 당신의
이름과 날짜가 적힌 라벨이 붙어 있다. 당신의 노트에 시선을
주고 있는 사람은 꽤 고급스러운 정장을 입고 있는 신사다.
호기심이 가득한 눈빛으로 노트를 바라보는 그의 곁으로 나
이가 지긋한 큐레이터가 다가와 설명을 한다. 창조적인 리더
이자 성공한 젊은 경영자로 이름난 그가 곧 당신의 노트를 갖
기 위해 천문학적인 금액을 지불하려고 한다.

　백 년 후 당신의 이름과 노트가 어디에 있을지는 지금 당신
이 무엇을 하는가에 달려 있다.

da Vinci nòtes

to -----------------------------------

한스미디어

index

7 --- p

8 --- p

9 --- p

10 --- p

11 --- p

12 --- p

13 --- p

14 --- p

15 --- p

16 --- p

17 --- p

18 --- p

19 --- p

20 --- p

21--- p

22--- p

23--- p

24--- p

25--- p

26--- p

27--- p

18

116

154

166

name
_____

birthday
_____

address
_____

mobile
_____

e-mail
_____

extra
_____

da Vinci notes

1판 1쇄 인쇄 2016년 2월 23일
1판 1쇄 발행 2016년 2월 29일

지은이 최지은
펴낸이 김기옥

기획1팀 모민원, 권오준, 정경미
프로젝트 디렉터 고래방(최지은)
커뮤니케이션 플래너 박진모
경영지원 고광현, 김형식, 임민진, 김주현

디자인 ZINO DESIGN 이승욱
인쇄·제본 공간

펴낸곳 한스미디어(한즈미디어(주))
주소 04037 서울특별시 마포구 양화로 11길 13(서교동, 강원빌딩 5층)
전화 02-707-0337 | 팩스 02-707-0198 홈페이지 www.hansmedia.com
출판신고번호 제 313-2003-227호 | 신고일자 2003년 6월 25일

ISBN 978-89-5975-947-7 14320
     978-89-5975-948-4 14320(세트)